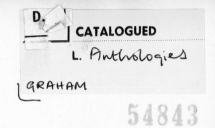
TO BE
DISPOSED
BY
AUTHORITY

NORDERN LICHTS

AN ANTHOLOGY OF
SHETLAND VERSE & PROSE

COMPILED AND EDITED BY

JOHN J. GRAHAM

AND

T. A. ROBERTSON

PUBLISHED BY
**THE EDUCATION COMMITTEE OF
SHETLAND COUNTY COUNCIL**

PRINTED BY
**T. & J. MANSON
LERWICK SHETLAND**

1964

First Published 1964

C O N T E N T S

SHETLAND LIFE

THE SEA

FOREWORD

THIS anthology of dialect poetry and prose, though published separately, is essentially part of the "Shetland Book" of which the Education Committee of Zetland County Council are the sponsors. The purpose of the Shetland Book is to ensure that the young people of Shetland will have a sound knowledge of their own environment, of the history and geography of the county, of its natural history, its traditions and its way of life. Each chapter of the Shetland Book has been written by an acknowledged expert, much of it by the General Editor himself, Mr A. T. Cluness, for over 28 years Rector of the Anderson Educational Institute, a native of the islands who loves his home.

The compilation of this anthology was undertaken by Mr T. A. Robertson, and Mr John J. Graham, who are the joint authors of "A Grammar of Shetland Usage" published by the Shetland Times, Ltd., in 1953. Messrs Robertson and Graham have written a fair amount of verse themselves, the former under the pen-name of "Vagaland," and some of their work is included in the anthology. Inevitably some poems are omitted which some would have wished to be included, and the opposite may also be true; but here is a selection of dialect verse which will not only appeal to local readers, but should convince every reader that Shetland has a distinctive contribution to make to the nation's poetry. There is pride in these verses, and longing, wit and wisdom, all the qualities that are to be found in the poetry of any people. Shetland verse is concerned with scenes and events familiar to the writers, and therein lies its strength. But it is not just dialect poetry, to be judged artificially as dialect verse. Judged on its merit as poetry, much of it emerges as good poetry that will stand comparison with poetry that is much more widely known.

Though the Shetland Book is intended primarily for Shetlanders it is hoped that it will have a good reception from a much wider public. Those who are interested in Shetland or simply curious enough to read the Shetland Book should find there reliable information that may be of a compulsive nature. It is hoped that those who read this anthology will find pleasure and that unfamiliar words or spelling will not diminish the pleasure which these poems offer in their reading. The Education Committee hope that the young people of Shetland will be encouraged to read and learn and recite many of these poems and find joy in sounds and pictures which could be so easily and tragically lost.

R. A. ANDERSON,
Chairman, Zetland Education Committee.

INTRODUCTION

Every district loves its dialect: for it is, properly speaking, the element in which the soul draws its breath. GOETHE

Trowe wir minds wir ain auld language
Still keeps rinnin laek a töne. VAGALAND

IT may be asked — by pupil, teacher or parent — why bother reading poetry written in a dialect which is rapidly declining and contains words which to-day are meaningless to many? To this perfectly reasonable question we can only answer that a knowledge of Shetland verse will give us a closer knowledge of the islands which are our dwelling-place and of the people who are our kin.

These poems express the thoughts and feelings of Shetlanders, past and present, in a language which is as native as the heather is to the hills. Perhaps some words are unusual but, once explained, there is something about the ring of a Shetland word which makes it immediately familiar to the native ear and easily absorbed into his vocabulary.

Shetlanders grow up with the familiar sounds of the local dialect: it is the language heard in the home, at work on the croft, out in the boat on the voe. It is, in fact, the language through which the young Shetlander makes his early contacts with life. Later on, through school, newspapers, the radio and television, he will come to know more and more of the wider, more diverse world through English; but his earlier impressions, so often the most vivid and lasting, are associated with his local dialect. It is therefore, quite natural that a statement such as:

> Bit years gaed by, as aye der geen,
> Da winter white, da simmer green,
> Da voars aye sawn, da hairsts aye shorn,
> Aye some een dead, aye some een born

should make a more immediate and deeper impression on a Shetlander than a similar statement in English:

> The years went by as they've always done —
> The winter white, the summer green —
> The spring seeds sown, the harvest shorn,
> Always someone dead, always someone born.

In the same way, a poem about a "corbie" should have a greater immediate appeal than, say, one about a nightingale.

Many of the poems in this volume were written over half a century ago in a Shetland where life was vastly different from what it is today:

a Shetland of thatched roofs, paraffin lamps, sixerns, water mills, "rigs delled" with a spade, and whose people spoke a rich, expressive language which had grown out of the life it described. Progress has discarded much of this old way of life and with the passing of the sixern, the water mill, and the outdated agricultural methods, much of the old language has gone likewise. We do not lament these material changes, which were not only inevitable but desirable; for who today would exchange the modern seine-netter for a sixern or the tractor for the spade? But although the past is a closed chapter of our island history we cannot afford to neglect it. We ourselves are a product of this past, and by learning something about our forefathers' reactions to the conditions they were born into, their struggles to surmount the difficulties they experienced, and the characteristics they acquired in the process, we can gain knowledge and inspiration to help us in our lives in the Shetland of today. And such knowledge can be found in the poetry which has come down to us from the past.

For example, Basil Anderson, in writing about Auld Maunsie's Crö, introduces us to a Shetland community as it was in the 1870's. With Maunsie and his "crö" as starting-points the poet takes us through the activities of a typical day — the "kye" leaving the byre in the morning, the people at work in the fields, the sixern crew using the "crö" as a "meed", old Rasmie's evening prayers. The poem then goes on to describe the cycles of the seasons, and finally, with Auld Maunsie's death and the tumbling down of the "crö", we see the broader passage of time, taking generations in its stride. Just as Auld Maunsie had built, not only a "crö", but a landmark, a shelter, and a means of reckoning the time, so Basil Anderson describes, not just a mere erection of stone, but a living community as he knew it. And through his poem we look back and catch a stray glimpse of the past, caught and focused for us by a sensitive observer.

Other poems, from both the past and present, reflect in other ways, the feelings and attitudes of local writers to life around them. However much these poems may vary in manner, approach, or aim, they are all alike in that they start from something common to our everyday lives, be it the boat "noost", the "skorie", or the empty house.

Shetland poetry, as represented in this volume, has a very short history, practically all of it having been witten within the last eighty years. Although the preceding centuries are to us poetically silent, they must have contained many nameless poets who composed verse and song which lived for a time on the lips of the people, eventually to be lost because never written down.

In 1774, a visiting writer, Mr George Low, heard William Henry of Foula recite thirty-five verses of a Norse ballad in the original Norse language. Mr Low stated that William Henry recited and sang for a whole day to him, but that the ballad above mentioned was all that he wrote down and thus all that was salvaged from one man's vast memory of what must have been a rich store of folk-poetry.

Many of these old Norse poems would have been handed down through the generations from mouth to mouth, but as English gradually replaced Norse as the accepted language they became meaningless and were no longer repeated. Apart from the Hildina Ballad which Mr Low collected, a few fragments of our poetic past remain. There is the interesting little poem or part of a poem in which the writer obviously has the crucifixion of Christ in mind but has mingled details from the death of Odin with the Christian story:

> Nine days he hung pa da ruitless tree,
> For ill was da fok an guid was he;
> A bluidy mett was in his side,
> Made wi a lance at widna hide;
> Nine lang days ida nippin rime
> He hung dere wi naked limb,
> An some dey leuch
> Bit idders grett.

Then there is the verse, obviously pre-Reformation in origin, in which the children are committed to the care of Mother Mary:

> Mary Midder hadd dee haund
> Roond aboot fir sleepin baund;
> Hadd da lass an hadd da wife,
> Hadd da bairns aa dir life.
> Mary Midder hadd dee haund
> Roond da infants o wir laund.

It is possible that remnants of the folk literature of our past may still exist in the memories of older people. The Delting Spinning Song was written down for the first time, and thus preserved from extinction, only a few years ago, and it is to be hoped that further examples of our poetic past may yet be unearthed.

It was only during the 70's and 80's of last century, when our two local newspapers were established, that Shetland writers had the opportunity of publishing their verses. By the end of the century four writers had emerged to lay the foundation of our local literature—Geo. Stewart, J. J. Haldane Burgess, Basil R. Anderson, and Jas. Stout Angus. They, with no previous examples of writing in the dialect to guide or influence them, were in a sense pioneers: a handicap in some respects, but a decided advantage in that they were compelled to write as they spoke and thought, and to choose their subjects from the life around them in their native islands. That direct and natural approach to poetry they have bequeathed to their successors. The poems in this volume, selected from the work of Shetland writers over the past seventy to eighty years, all show, in varying degrees, this influence. They speak to us in our native tongue, simply, vividly, humorously, and often memorably.

THE SHETLAND DIALECT

Of the Pictish language spoken in Shetland before the coming of the Norsemen, only a few words have survived. Some place-names, such as "Immerie" are said to be of Pictish origin.

Settlers from Scandinavia, perhaps as early as the 7th century, brought with them a language akin to Faroese and Icelandic, and this was the language of Shetland for more than seven hundred years.

When Shetland became a part of Scotland in the 15th century, the Norn language began to die out and, by the middle of the 18th century it had been replaced by the Shetland dialect, which resembles Lowland Scots, but contains a large number of Norn words and expressions.

The most noticeable thing about the Shetland dialect is the way in which English **th** is usually represented by **d** or **t**.

English	Shetland
the	da
father	faider
thaw	towe

In the dialect **sh** usually replaces **ch**.

English	Shetland
choke	shok
chair	shair
Charlie	Sharlie

Some Shetland vowel-sounds are quite unlike English, but may be found in Norwegian, for example the vowel in words like crö, shö, glöd, which most writers spell with ö, but some with ü, oe, or ui, as there is no standard spelling.

A study of the dialect reveals a great many peculiarities and differences from English which would fill a large volume. It is possible here to draw attention only to the most striking, but we would like to emphasise the point that these differences do not constitute bad or broken English. Like all forms of speech which have developed in a particular area, the Shetland dialect has a consistent pattern of usage, a grammatical form which can be clearly seen in everyday speech or the written word.

One difference between Shetland dialect and English is that in English we find only a few masculine and feminine nouns, such as "father", "mother", "aunt", etc., while in the dialect we find many masculine or feminine nouns:—

"I tried da knife, but **he** wisna sharp"
"Whin da mön raise, **shö** lichtit up baith sea an laand."

Masculine or feminine pronouns are also used where in English we would use the pronoun **it**:—

"**He**'s a caald day"
"**Shö**'s a strange fish, da herring"

The Second Personal Pronoun has a familiar form — **du, dine** and **dee**. This is used

(a) by friends speaking to each other
(b) by grown-ups speaking to children
(c) by anyone speaking to an animal

In the dialect **der** means both **there is** and **there are**:—

"Der a boat ida soond"
"Der twa men comin alang da rodd"

Similarly **dey wir** is used:—

"Dey wir a aald man sittin at da fire"
"Eence upon a time dey wir tree bears"

When we consider verbs, we find that Shetland verbs do not obey the same rules as those found in a book of English grammar and composition. For instance it would be quite wrong to say, in English:

"Birds from far-off lands **has** beautiful feathers", but in the old Shetland dialect they used to say: "Far-fled fools haes fair fedders".

If we study Shetland verbs we find that they are like the verbs in the old Scottish language which was used by great poets like William Dunbar and Robert Henryson in the Middle Ages.

In the Shetland dialect there are many beautiful words like "Mareel" which means "sea-fire", i.e. the phosphorescence in the water, and we have a great many striking expressions such as:—

"He cam in a stown dunt"
"He wis hardly able ta geng alang da hadd"
"He got a firsmo"

There are also many words which are used to express shades of meaning:—

stramp	—	to walk
staag	—	to walk stiffly
harl	—	to walk with difficulty
scrit	—	to walk hurriedly
link	—	to walk lightly
drittel	—	to walk slowly, at the tail-end of others
stend	—	to stride purposefully
buks	—	to walk heavily through snow, etc.
platsh	—	to walk over wet ground

Unfortunately, many of our most expressive words and turns of speech are rapidly dying out, just as the Norn language died. If our dialect is not to become in the future merely a colourless collection of modified English words, an attempt must be made to preserve what is left of the rich, and attractive vocabulary handed down to us by our parents and grandparents.

NOTE ON MEANINGS AND SPELLING

Words may have completely different meanings according to the context in which they are used or the district in which they are spoken.

Hitherto Shetland writers have been accustomed to spelling dialect words phonetically. While this has admirably conveyed the local variations of pronunciation it has produced so many versions of the written word that readers of the dialect have often been confused. We have, therefore, aimed at greater uniformity in spelling and are grateful to the writers of the poetry and prose in this anthology who have permitted us to modify their spelling.

ACKNOWLEDGEMENTS

The Editors and Publishers make grateful acknowledgement to the following authors and composers for permission to use copyright material: Tom Anderson, John T. Barclay, Tom Georgeson, Laurence I. Graham, Thomas Henderson, Peter Jamieson, Emily Milne, George P. S. Peterson, John Peterson, Jack Renwick, Elizabeth J. Smith, Stewart Smith, Stella Sutherland, William J. Tait.

We are also greatly indebted to the following for permission to use copyright material: The Misses Angus, Windhouse, Lerwick, for items from "Echoes from Klingrahool" by the late James Stout Angus; Miss Hilda Burgess, 4 Queen's Lane, Lerwick, for items from "Rasmie's Büddie" by the late J. J. Haldane Burgess; the Gray family for "Wrastle wi a Hen" from "Lowrie" by the late Joseph Gray; Mrs L. Nicolson, St. Magnus Street, Lerwick, for poems by the late John Nicolson; Dr T. M. Y. Manson, Mounthooly Street, Lerwick, for 'Oh, Shö, Shö," from "Mareel" by the late T. P. Ollason; Mrs T. Reay, Aberdeen, for "The Fetlar Lullaby" by the late Sinclair P. Shewan; Mrs J. Tait, Sandwick, for "Moose, Moose, Meeserie" by the late R. W. Tait.

Thanks are also due to Mr J. R. S. Clark for advice in the systematisation of dialect spelling, to Messrs W. Kay, C. W. Forret, and C. W. Arthur, for copying music, to the Shetland Folk Society for lending the block of the Bressay Lullaby and allowing reproduction of the late William Ratter's translation of the Unst Boat Song, and to Mr Laurence Graham for assistance in reading proofs.

SHETLAND LIFE

AULD MAUNSIE'S CRÖ

enclosure for cabbage plants

PART I

Oot-ower apon a weel-kent hill,
Whase watters rise ta grind a mill,
Auld Maunsie biggit him a crö,
Ta growe him kail fir mutton brö, — *stock*
Fir Maunsie never tocht him hale
Withoot sheeps' shanks an cogs o kale. *wooden container*

Noo Maunsie's wis as göd a tongue
As ever psalm o Dauvid sung.
It fittit weel a gödly mooth,
An said few wirds at wirna truth,
An never swöre by Göd or Deil
Excep' whin kyunnens ate his kale. *rabbits*

Maunsie never muckle fashed wi schule,
Aye wroucht by random mair dan rule;
But, drew he plan or drew he no,
He set da steead an honest O; *foundation*
An shön da neebors roond aa saw
Rise up a stanch sheep-hadden waa; *secure from sheep*
While, laek a man inspired wi hope,
He clappit on da hidmost cope,
An as he sew da seed an söt, *sowed, soot*
Wi touchts o kale he schowed da cöt!

Auld Maunsie's crö wis fair ta see,
A tooer an landmark ta da ee.
Whin Nickie soucht da fardest haaf *deep sea fishing grounds*
He pointed wi da huggy-staff, *gaff*
"Noo Erty keep her ta da Nord,
Tak Maunsie's crö on Byre o Scord."
An whin a schooner took da soond
Lat eence her head be heilded roond *turned*
Deil oucht da skipper hed ta dö
Bit hadd her fir Auld Maunsie's crö.

Mair noted far dan clock or schime
Auld Maunsie's crö proclaimed da time:
Jöst as da sun raise ower da crö

B

Auld Lowrie o da Liogue raise tö.
Whin ower da crö da sun wis high
Oot staagin cam da Setter kye —　　　*walking stiffly*
What hed na folk ta truck an dö　　　*toil*
Afore he heilded aff da crö.
Fae Gaapaslap ta Swartagerts
Da crö wis kent dat mony erts　　　*directions*
Dere wis nae ooer in aa da twall
Bit in some place some tongue wid yall
Ta langsome legs an elbucks tö,
"Da sun is by Auld Maunsie's crö!"

Whin Betty Bunt at bedd in Virse
Wis riskin reeds an gorsty-girse,　　*cutting, grass between*
Auld Maunsie's crö below da sun　　　　*cultivated fields*
Said "Hame an see da denner on!"
Noo, if her limmer o a lass,
Ne'er heedin hoo da time wid pass,
Sat purlin wi her lazy taes　　　*poking*
Among da ess, afore da aze,　　　*ashes. blaze*
Shö'd stamp, wi sic an angry fit,
"What! no a tautie washen yet?"
An swear sic oaths baith sma an grit
As weel micht mak a crö ta flit.
"Hing on da kettle ida crook
Or, troth, A'll flatten laek a fluke
Dy sweery carcage whaur du sits!　　*lazy*
Göd fegs! Du'll pit me by me wits!
Da sorrow scad dee in his brö —　　　*scald*
Da sun is by Auld Maunsie's crö."

An whin at last da sun gaed doon,
An, bricht an boanie, raise da mön,
Auld Elder Rasmie o da mill
Grew restless as shö neared da hill,
Gaed twar-tree casts aboot da floor,　　*two or three turns*
Dan, solemn, soucht agen da door,
But never crossed his smuk da goit, —　　*slipper. threshold*
Jöst nose an nicht-kep gae a scoit,　　*peep*
Fir shöre as A'm a sinner tö
Da mön wis heildin aff da crö!

So stappin inby i da neuk　　　*corner*
He haarled oot da muckle Beuk,　　*lifted with difficulty*
Spread wide his naepkin ower his knees
Ta keep da holy brods frae grease,　　*covers*
Lickit his toom ta turn da laef,
Said, "Lord, da baess hae got dir shaef,　*cattle*
We look ta Dee, laek aalie sheep,　　*pet*
Ta gie wis schowins frae da Deep."　　*food*
Da schapter read he booed him doon

An prayed at He wha rules abön,
His haund roond dem an dirs wid keep —
Fir He wid wauk tho dey sood sleep —
An gaird dir herts laek stocks o kale   cabbages
Fae dat black kyunnen ca'd da Deil,
An staund a waa aroond dem tö
Far shörer dan Auld Maunsie's crö.

PART II

Whin winter skies gae ne'er a flame
An lads wir linkin oot fae hame,
Or whin da mists lay ower da hill
Till raikin dogs wid even will,   wandering, lose their way
Auld Maunsie's crö, set on da heicht,
Wid tell da rodd ta left or richt,
An whin da snaw wis driftin deep
Da crö was soucht by cruggin sheep,   sheltering
Whaur safe and snug dey'd buried lie
Till fanns wir scoomed, or drifts wir by.   snow-drifts swept away

Whin simmer took cauld winter's place
An aa da hills wir run wi baess,
Here mares, an foals, an pellit röls   ponies with ragged coats
Wid come at nicht ta mak der böls,   resting-places
An wheygs an calves wi "moo" an "mö"   heifers
Wid bliss Auld Maunsie fir his crö.

At last, despite baith sheep an kale,
Maunsie an his crö began ta fail.
Time booed his rigg, an shöre his tap   bent his back, thinned his hair
An laid his crö in mony a slap;   gap in wall
Snug-shorded by his ain hert-stane   propped up
He lost his senses een by een,
Till lyin helpless laek a paet,
Nor kale, nor mutton he could aet;
So dee'd, as what we aa maun dö,
Hae we, or hae we no, a crö.
An strange ta tell, da nicht he dee'd,
His crö, in raubin ta da steead,   tumbling
Laid stiff an stark his yearald röl,
Aa mangled in a blödy böl;
An sae da corbie, an da craw,
At flapt der wings ower Maunsie's waa,
Wi mony a "corp" and "caw" did say,
A sowl wis flit fae aert dat day.
Dan aff on roosty wings agen
Ta hock da ro an tear his een.   tear carcase

Bit years gaed by as aye der geen,
Da winter white da simmer green,

Da voars aye sawn, da hairsts aye shorn,   Springs
Aye some een dead, aye some een born;
Auld Maunsie's name an fame wir spent,
Bit still his crö-steead wis eart-kent.   far-famed
Bit, less! its name trowe time wis lost:
Folk aye wir fey ta raise a ghost;   loth to mention
So efter bein named by aa: a dead person's name
"Da crö o him at's noo awa
(Lord rest his sowl!)" — it cam ta geng
By da föl name o "Ferry-ring."
An so wi age an moss grown grey
It waddered mony a heavy day,
But o da waas at eence wir seen,
Da mark an guide ta mony een,
Deil stane wis left bit een or twa
Upstaundin whaur hill-baess could claw.
An later folk hed mair ta dö
Dan mind Auld Maunsie or his crö.

Basil R. Anderson.

COMIN FAE DA HILL

"So Betty! Ye're been wast da brig
Fir twa blue clods ta raise a lowe?   small fragment of peat
Lord grant ye mayna brak yer rigg;   back
Fir, troth, I tink a hedder-cowe
Wid noo be freight anyoch fir you.
Why did ye rin yer kishie foo?

"Ye'd be da better o a staff,
Ta keep yer feet gyaan up da brae.
So Göd be wi you; A'll be aff —
A'm gyaan ta strick some teck da day.   cut heather for thatching
But neist time at ye want twa clods
Jöst try wir hame stack — what's da odds!"

"Lamb, A'll jöst kerry what I can;
But blissins be in every bane,
An mak dee, jewel! a stately man
Fir dy sweet kindness. — So, du's geen.
Da Lord len me his heevinly staff,
Till Christ sall lift my kishie aff."

Basil R. Anderson.

VOAR

Spring

Tiesday

A haary wind blaws keen an caald	*mist-laden*
Across da voe,	
Hit maks a jap apo da shaald	*choppy sea, shoal*
An i da gio;	
Hit wharves da waar an sturs da saand,	*turns over the sea-weed*
An lays da froad up ower da laand.	
Da stirnin young baess staand and nyoag	*shivering, moan*
Among da shurg,	*wet gravelly subsoil*
Or waander oot alang, ta croag	*shelter*
Under da burg;	*crag*
Up i da air da maas flee roond,	
An claug wi a most melodious soond.	*clamorous cry of gulls*
Der no a löm in aa da lift	*opening in clouds, sky*
Frae hill ta hill,	
Da turfy clood-taps never shift;	
Abön da gyill	*small steep-sided valley*
A skubby ask hings, icet-gray,	*thick haze*
An da sun is never bön seen da day.	

Fuirsday

Rise dee wis up, du lazy sloo!	*lazy fellow*
An geng an maet da baess,	*feed the cattle*
An gie a göd bite ta da unkan coo,	*strange*
Da een wi da sholmet face;	*black and white*
Shö's tied at da vaegle neist da waa,	*stake in wall*
Wi a cast aboot 'er hoarn.	
Du'll gie dem a halloe tweest every twa,	*bundle of straw between*
An a peerie air o coarn;	*small quantity*
An whin du's gotten dy brakwast	
Du'll geng a vaige ta da stack,	
An I sall hae da harroween dön	
By da time at du comes back.	

. . . .

Boy, skut i da door an tell's da time,	*peep*
As lang's du taks dy smok;	
If da mön be's ower da Burgataing	
He's efter aucht a'clock.	
So, weel I wat du's tired da nicht,	
Efter da day't du's hed;	
An du'll jöst hae sic anidder da moarn,	
Sae gae dee wis ta dy bed.	

Saturday

Come up ta da hill wi me, dearie,

A'll shaw dee da sheep an da kye,
An da horses croppin da lubba,   *coarse grass*
An da böls whaar da gimmers lie;   *resting-places*
Du sall hear da laverik singin,
An da plivver apo da moss,
An see da hill-sporrow rinnin
Ta hoid her among da floss.   *rushes*

O, sweet, sweet, hinney and sukker!   *terms of endearment*
I's tak dy haand in mine,
An wale fir da saftest hedder   *choose*
Fir yon peerie feet o dine.
We sall geng whaar da lyoag is greenest   *valley*
An follow da stripe ta da sea,   *stream*
Till da starns comes oot i da hömin   *twilight*
Ta look apo dee an me.

James Stout Angus.

SHETLAN

Du may waander on fir ever,
An seek idder laands dee lane,   *alone*
Bit someday du'll come driftin
Ta da laand o laands agen.
 Shö's a laand o faeries dancin
In a ring o snaa-white scöm,   *foam*
Whaar da grit, grey sea lies skulkin
I' da dim, saft simmer höm.   *twilight*
 Dere, A'm pluckin kokkiluries,   *daisies*
 An gadderin paddick-stöls,   *toad-stools*
 Or guddlin tricky skeeticks   *cuttle-fish*
 I'da clear saat-watter pöls;
 A'm rickin peerie sillicks   *catching with bare hook*
 Wi a preen an dockin-waand,
 Or pokin efter smislins   *shell-fish*
 I'da ebb-stanes i'da saand.
Shö's a laand whaar winter's souchin   *sighing*
Trowe da spöndrift an da squaal,   *spray*
An da smorin mooricaavie   *blizzard*
Fills da Nort-wind's oobin waal.   *moaning*
 Dere, I look alang da tide-line
 Among da tang an waar,   *sea-weed*
 Fir baarrel-scows, an battens,   *barrel-hoops*
 An bits o brokken spar;
 Fir da muckle seas is brakkin
 In stoor laek cloods o snaa,
 An der tales o vessels wrackin,
 Wi dir sails aa blawn awa.

John Peterson.

EELS

II

Da Lammas spates, laek flyooget aets *heavy August showers, winnowed oats*
Abön a flakki laavin, *straw mat, floating*
Fell frae da lift wi a heavy drift, *sky*
Da sam as an hit'd been kaavin. *snowing heavily*

Da burns aa rase abön da braes
Fir stanks an stripes wir tömed in, *ditches and streams were filled*
Till every lyoag whaar an eel could oag *depression, crawl*
A neesik micht a swömed in. *porpoise*

Da hedderkowes apo da knowes *clumps of heather*
Lay drooket an disjasket, *drenched, washed out*
Da tatti shaas an bulwand taas *roots of mugwort*
Wir wuppled laek a gasket. *tangled, part of ship's rigging*

Da grittest faels wir taen lek spaels *shavings*
An hurled ta da ocean —
O, whaar could wirmi eels fin rest
Wi siccan a dire commotion.

An dis sam gref, da dead soo's bef, *bath*
Brook oot at da nedder nyook, *lower corner*
An ran laek a pipe till dey wir no a s:pe *drop*
At could a covered a fluke.

And aa da eels cam, head-ower-heels,
Oot wi da force o watter —
A foon fan hads among da clods, *few found hiding-places*
An brugs an moory gutter. *tussocks in broken ground*

An doon, doon, doon, grey, green, an broon,
Dey wirmed an dey wumbled, *twisted*
Some smaa an lang lek a styilk o tang *stalk of seaweed*
An some laek a baa gyaan heddikraa, *head-over-heels*
Till i da sea dey bumbled. *splashed*

III

Da surge at da mooth o da Yalkan gios *surf*
Mons drearily aa da night,
Da hövin shorebod comes an goes, *breaking sea*
Da saatbrak glimmers white, *clumps of seaweed*
Da slimy waar-beds rise and fall *movement*
Wi a slow an solemn laav,
An to and fro grey partiks crawl
Feedin among da graav. *ooze of sea-bottom*

An noo up ower da aestern sky,
Da daybrak spreads a glöd,   *glow*
Da leedfoo laverik rives da dim   *diligent lark heralds the dawn*
Wi a sweet angelic löd,   *melody*
An baess an birds an folk come oot
Ta seek dir mornin föd.

A flekket strik be-oot da daek   *red and white heifer*
Rises oot o her böl,   *resting-place*
Shakkin da dew frae her sholmet shoks,   *white throat*
She nyoags an sets a kröll,   *moans and humps her back*
An waanders awa ta da burn to tak
Her slokkin at a pöl.   *deep drink*

Smootin alang da loomi skröf   *stealing, oily surface of water*
A sylkie coags an stimes,   *seal lifts his head and peers*
Turnin his lug ta da lift, ta lö   *sky, listen to*
Ta da laverik's mornin hymns,
He fleets awa as saft an smuid   *slips, smooth*
As I wid laek my rhymes.

Da muckle skerry be-oot da taing   *tongue of land*
Is covered ower, in raas,
Wi flaachterin scarfs, and plootshin looms,   *cormorants flapping and guillemots waddling*
Dunters an swabbimaas,   *eider ducks and great black-backed gulls*
An da lang banks girse waves fitfully
Ta every pirr at blaas.   *light breeze*

Sailin afore da risin breeze
A whilly boat appears;
An aald man pyaags upon a aer,   *rows with effort*
A boy sits eft an steers;
Shö hauls her wind an dusses her sail   *lowers*
Whin da Burgabaa she nears.

Dir eeltows hev been set aa nicht   *lines for catching eels*
At da röt o da waari baa,   *sunken rock covered with seaweed*
An noo dey're come ta tak dem up
Afore he comes on ta blaa —
Hit's a ill sign whin da lunabrak   *spray*
Flees ta da girse laek snaa.

An so dey hail, an very shön   *pull in lines*
Or ever dey laeve da spot,
A lok o various kinds o fish
I da wide foreroom dey've got,
An half a score o conger eels
Is sprikklin i da shot.   *wriggling, after part of boat*

James Stout Angus.

DA BIGGINS O BURLAND

As ye come treedin up da Vaffelit Gait,   *winding*
An clim alang da shooder o da hill,
Ye'll come apon a mird o hooses dere,   *crowd*
Staandin athin da vailie, lonn an still.
Dey're stöd doon dere fir mony a simmer noo,
Cruggin tagidder laek glufft sheep whin dey roo.   *crowding, frightened*

Dis is da Biggins o Burland. Here, dey say,
Da Göd Folk lived athin yon Ferrie Knowe;
(Or maybe hit wis Pechts), bit onywye,
Dey made da bere an coarn an tatties growe;
An mony fain'd da spot, an biggit dere —   *liked*
Aless, aless, A'm wae hit's noo sae bare.   *sad*

Da rigs, noo merely metts athin da girse,   *marks*
Dan rig-a-rendel grew fir man an baest,   *run-rig*
Anyoch o aa thing — an da strongest een
Aye helpit oot da een at hed da laest,
An neebors wrocht tagidder, every wan.
Weel! noo is noo, ye see, bit dan wis dan.

I tink at eence, apo dis very green,
Een cam ee day, wi wechts, an sivs, an coarn,
An laid his flakki doon, an winnowed clean   *straw mat used in winnowing corn*
What he wid need ta grind da moarn's moarn.
An bairns danced athin da ann-böl dere,   *heap of heavier chaff*
An yokkit caff at fled apo da air.   *grabbed chaff*

Athin yon shimley nyook an aald man sat   *chimney corner*
An wand da straen simmits in a baa,   *straw ropes*
Dan flossen simmits, for da kishies neat,   *ropes made of rushes*
An böddies made, oot o da dockens sma,   *creels*
Noo tekkit röfs an böddies aa is geen,   *thatched roofs*
An naethin left bit waas o lime and stane.

Here i da idder coarner, heedin nane,
A ting o lass shö sat — hit micht a been,
Penglin apon a peerie sheddin hap,   *knitting laboriously*
Ta win a badd laek een shö saw da streen,   *garment, last night*
An aft shö set tagidder da lowin taand,   *burning brand*
An aft da loop lay idle in her haand.

See ye yon peerie window lookin wast,
An doon below, yon muckle kuggly stane?   *unsteady*
A mony a look is trowe da een been cast,
An mony a knepp apo da idder geen: *blow*
An dan da lass, shö hintit her ootbye,   *slipped*
An said at shö wis gyaan ta mylk da kye.

Apo dis rock dey spied fir winter wracks,
An when dey saw a batten or a dael,

Dan aa man cöst aside his wark, an ran,
An left baith spade an kishie, flail and fael;
Yea, ta da very neck dey wid a stöd
Athin da sea, ta save da timmer göd.

What tink ye is dis peerie hoidie-hol?   hiding-place
He'd tell a tale, if aa wis laid ta aa.
Der mony socht da place, bit few at fan
Dis muckle stane athin da hollow waa:
Fir mony a pound o bacha lay benon —   in past
An mair forbye — bit we's lat dat alonn.

I takk at if I bedd athin dis spot,   lived
Shörly content an paece I here wid fin;
I could firyat da trysht o aa dis toil,   stress
Dis tearin oot o life ta keep hit in;
An lay me doon at nicht, an takk my rest,
An tink apo da wark at sets me best.

An waaken on a moarnin sic as dis,
Da sheenin sun apo da mylk-white saand,
Da claag o biggin maas athin da Isle,   clamour
Da glessen draps o dew ower aa da laand;
Da breer abön, May-flooers in every clift,   shoots of new corn
Da sea remm-calm, da laverick i da lift.   flat calm

Nae mair o dis. Fir me, sall I mak maen,
Alto wir lives is taen anidder cant?   turn
Ta dö aa göd, an wiss nae ill ta nane —
Lat dis be wir ee tocht, whate'er we want —
An may we muckle wirt, as dem, be fund,
At raised da waas o Burland fae da grund.

Elizabeth J. Smith.

DA PEERIE BURN HOOSE

Pör peerie hoose, dy lum is nae mair reekin,
Nae taand apo dy caald hert-stane is bricht.   burning peat
Nae carefil haand dy waakit doors is steekin   well-worn. closing
Whin hömin faas, an hit comes on ta nicht.   twilight
Nae lamp is lit, nae infant bairn lyin
Athin a cradle haandy ta da fire;
Nae boanie wife a sholmet craetir tyin   white-faced cow
Athin a vaegle o da ruined byre.   stake in wall
Dy cupples aa is fa'en in an rotten   rafters
Whaar eence wis tekkit wi da yellow strae,   thatched
An dem at dwelt within is aa forgotten,
Passed fae da carin o a later day.

Weel dö I mind da voar-time, an da dellin,   spring time
Da lonly horse-gok wi his eerie cry,   snipe

An ida dim, da starns at wid be dwellin
Far ida deepness o an April sky.

Da boanie simmer nichts whin we wir rowin
Da "Speldie" oot beyond da Taing o' Ham,
Aye far an farder, til da mön wis lowin
Abön da Wart an shoreward dan we cam;
Dan aa da fish, mareel an siller, tömin   sea phosphorescence, pouring
Athin da böddies, we wid tak wir rodd   creels
Up fae da noost, fir hame athin da hömin;   where boat is drawn up
An Faider on da restin-shair wid nod . . . .   wooden settle

Da hairst nichts tö, whin we wir at da sharin,   cutting corn
An stookin coarn, an biggin hit in scroos;
Dan hey an ryegrass fir da craetirs' farin,
An aa da neeps an tatties we could use;

Da winter's nicht: da smell o beremell dryin   barley meal
Ta mak da boanie bursten, an da fire
Whin every flan wid send da neesties flyin   gust, sparks
Athin la shötty shimley high an higher.   sooty chimney
An Janny's haand wid set da spinnie hurrin   whirring
Whin peerie Luck-a-dye wis fa'en ower;   grandchild
Da aald black cat wis at da fireside purrin
Athin a kishie, wi her kettlins fower.   kittens

O lang sin syne is dat, laek sheenin watter
We turn ta see da sun on, whin we're past:
An time moves on, wi aa his claag an clatter,   confused noise
Until wir hearin dulls ta hit at last.
So, peerie hoose, altho dy day is settin
An loves at clang aboot dee aa is dead,
Looks du ta dis, A'm een at's no forgettin,
Altho my happy years wi dine is fled.

Nae spot on eart whaar stöd a happy dwellin
Whaar bairns played, an love wis faithful aye,
Bit hadds a charm at passes mortal tellin
Trowe aa da years, tho time gengs hintin by.   stealing

Stella Sutherland.

THE SEA

DA LAST NOOST

A sang, anidder sang, ye say,
　　An if it be da last,
Need I be wae? A'm hed my day,　　　　　　sad
　　An noo dat day is past.
My day is döne, what need I care?
A'm hed him foul, A'm hed him fair;
An sae, aald boat, fir dee an me
Nae mair, nae mair, da heavin sea.

Du wis a boat o boats da best,
　　Trowe mony a storm we drave;
Noo in da Noost, du taks da rest
　　We never mair will laeve.
Last haven, freend, fir dee an me,
Fir we're crossed ower Life's changin sea;
We set oot wi nae little trust,
An noo it ends in dael an dust.　　　　loose **planks**

Whin dee an me, dat day in June,
　　Broucht hame my boanie bride,
My hert sang oot a blyde, blyde tune,
　　Du danced apo da tide.
Ah! Life an Love wis young, an den
I hed a happy but an ben;
Du wis my pride apo da sea,
An shö wis da very hert o me.

Dan cam a day o döle an care,　　　　　sadness
　　Da lift abön wis lead —
Across da dreary sea we bare
　　Ta her last hame my dead.
My fecht is ower wi wind and wave,
Da Noost is noo da quiet grave;
An sae, aald boat, fir dee an me,
Nae mair, nae mair, da heavin sea!

L. J. Nicolson.

DA SANG O DA FISHER LAD

A'll sing dee a sang o da Fladdicap,
An a lay o da Shalder Holm;
O Whalsa Soond wi its nesty japp,　　　　　choppy sea
An da Rumble's fleein fom.

A'll tak dee roond trowe Gröna Soond,
An oot ta da Papa Haaf,
Whaar da Huxter Baas mak dir lood reboond,
An da spöndrift goes laek caff.　　　　　chaff

Whin da hömin sets, an da nicht mists faa　　twilight
Ower Röness tap in faalds,
A'll sing dee a sang o da far awa,
Da weel-kent Foula Shaalds.

O da mirk black nicht, an da moarnin grey,
O da tystie an da skarf,　　　　guillemot, shag or cormorant
An da meeds at we took whin da Bard Head lay　　bearings
In line wi da Scord o Quarff.

Dat's da sangs at A'll sing, my love,
Da sangs at A'll sing ta dee.

John Nicolson

AALD BOAT

Du minds dee, whin da wind stöd wast,
I'd lay twa linns, an rin dee doon,　　　　skids over which
An tak a stane, an step dy mast,　　　　boat was drawn up
An hadd dy head fir oot da soon'.

We'd laand is doon by Helyer Gjo,　　　　us (West Side)
An bare tak time ta mak dee fast,
Sae weel kent we foo aa da voe
Wis scanned whin winds held fae da wast.

Aald boat, du's i dy last noost noo,
Da waandrin sea nae mair du'll ken,
Nae mair sall I, dy captain, crew,
Set up dy aald broon sail agen.

Bit tho, fir is, oot ower da voe,
Nae lingrin, lanesome look is cast,
Saft rins da sea in Heljer Gjo,
And saft da wind blaas fae da wast.

John Peterson

WINTER COMES IN

Grey dawn brakkin ower troubled watters,
Da Soond laek a burn, wi da rip o da tide;   race
Da Mull, black an grim, i da first o da daylicht
Wi da sea brakkin white on his nortmost side.

Yowes kruggin closs i da lee o a daek-end,   sheltering
Creepin frae a chill at bites ta da bon.
Solan an scarf aa wirkin inshore,   gannet and shag
A sign at da best o da wadder is dön.

Hail sheetin doon wi a nort wind ahint it,
Blottin oot laand an sea frae da scene.
An iron coortin closin ower aa thing:
Winter has come ta da islands ageen.

Jack Renwick

DA VODD NOOST   empty

Sochin frae da skerry,
Cam da caald Nort wind —
(Hit wis apo da Muninday
At aald Tirval dee'd,
Da sam day as da corbie spak ta Naanie,
An taald'r da fey wird) —   supernatural message
Said da Nort wind ta da spöndrift: spray
"Wha's boat is yun?"
Da spöndrift siched an dirled
Awa ower da Ness,
Dan saftly, saftly fell
Benon da brukkit noost —   beyond
"Yun's aald Tirval's sixtreen,
Da peerie 'Tangl Floo'r'
At ee time cam ta Fedalaand,
Wi Haakie an Maansie dead."
Da Nort wind nöned an oobed,   crooned and moaned
Da grit seas dunned wi tirnrie,   thundered with rage
An ran trowe da voe —
Da spöndrift grett sair,
Whin hit saa da vodd noost.

Folk spak o't lang efter —
An said at Tirval dee'd
Jöst as da sea cam fir da boat —
An foo twa'r tree days efter
Doon at da kirkyard, be da banksis broo,
Da sixtreen's namebrod, hael an oonbrokken,
Lay at da head o da new greff.   grave

Peter A. Jamieson

FLANS FRAE DA HAAF

gusts

Da wind flans in frae Fitful Head
Whaar dayset in a glöd
Hings ower da far haaf's wastern rim
Reeb'd red as yatlin blöd.

glow

streaked. pure

An flannin in frae dat black ert,
Borne in on flans o faer,
Come cauld black tochts at numb da hert
An slokk da emmers dere.

extinguish

Oh Loard abön, hadd Dy grit haand
Afore da daylicht dees,
Ower aa at ploo dir lonly furr
Trowe Dy wind-skordet seas.

furrow
scarred

O Loard, I pray, look kindly doon
An hadd Dy haand ower aa,
Till my lang-santet hert wins back
Whaar winds sall never blaa . . . . .

spirited away

Whaar winds sall never blaa nae mair
Nor skies nae langer lour,
Whaar dayset laek some hamely haand
Smoors aa hert's emmers ower . . . . .

covers

Da wind flans in frae Fitful Head
Wast ower frae blatterin seas,
Bit never da lang, lang lippen'd sail
Whaar licht an lippnin dees.

whipped by wind
expected

Laurence Graham

FOOD AND DRINK

STAP

dish made of fish and livers

Lat idder laands ower Shetlan craa,
Shö doesna care a rap,
Wi ee rare dish shö dings dem aa —
Fresh liver-heads an stap.

O! weel I mind a schild I sat
Apo me midder's lap,
An weel I mind I yowled an grat,　　　　*howled and cried*
An skirled oot fir stap.　　　　*screamed*

An noo A'm gyaan twa-faald wi age,
A'm grey aboot da tap,
Worn weary wi life's langsome vaige,　　　　*journey*
At times A'm laek ta drap.

Bit aa da luxuries A'm seen
I still wid frae me wap,　　　　*throw*
Ee single haepit plate ta clean
O liver-heads an stap.

On Israel, i da desert pent,
Da cloods did manna drap,
Bit folk ita da Testament
Hed fisn, an mebbe stap.

O aa at up man's fabric bigs
I stick it at da tap;
It gies wir young sheelds soople rigs,　　　　*lads, backs*
It gies wir lasses sap.

Its ölie soothes da troubled sowl,　　　　*oil*
Sair daddit wi life's jap,　　　　*battered, turbulence*
Its praise A'll yowl frae Powl ta Powl,
Till aa sall end in stap.

J. J. Haldane Burgess

STROOPIE I DA ESS

A'm bulgit in shape laek a widden Dutch cap,   *bowl*
Wi a haand oot behint laek a hump on my back,
A nicht-kep abön, wi a hole i da tap,
An my craig stentin oot till ye'd tink he wid crack,   *throat stretching*
Sittin laigh i da ess wi a taand at my tail,   *low, burning peat*
Yet I sing laek da steamer whin in wi da mail!

I eence wis as sheenin as new-blecket shön,
An smit aa da bairns wi madram an glee   *infected, merriment*
Whin I shawed dem dir faces as broad as da mön;
Yet noo, whin dey're bodies, dey're madder fir me,
Tho black as da baak, yet A'm bricht ta da aald,   *beam above fire*
Fir I keep up dir hert, an dey keep me fae caald.

O da happiest sicht I can wiss man on eart,
(An da prayer o my hert is "Guid sicht may he see!"),
Is da brönnie-spread ribs in a öle by da hert,   *bannocks baking over glowing embers*
An a blazin fire huggit wi pussy an me,
He at da tae sheek, an I at da tidder,   *the one side*
Singin in chorus laek sister an bridder!

I warm up da hert, yet I fire na da blöd;
An weel can I wash doon a bere-burstin cröl;   *small barley cake*
An sood ye want sometin ta dö you some göd
At voar-time, at hairst-time, or even at Yöl,
At castin da paets, or at biggin da dess,   *hay-stack*
Commend me ta Stroopie at sits i da ess!

For tho bulgit in shape laek a widden Dutch cap,
Wi a haand oot behint laek a hump on my back,
A nicht-kep abön wi a hole i da tap,
An my craig stentin oot till ye'd tink he wid crack,
Sittin laigh i da ess wi a taand at my tail,
Yet I sing laek da steamer whin in wi da mail!

Basil R. Anderson

teapot by the fire

C

NATURE

DA VELYANT HERT

Du skarf, wi dull oonkirssen cott,   unclean
An ower-lang nebbit nose,
Du bedd aboot, i winter time,
Whin idders left da voes,
Smootin aboot, among da tang,   gliding stealthily
Closs ta da shörmil edge,   edge of foreshore
Whaar mony a swaarfish, doon dy trot, butterfish or gunnel
Made his last aertly vaige.   journey

Wis bairns, laekin aye ta feel
Da pooer da Loard hed gien
Ta wis, abön da bird an baest,
Wid lift a ston an peen   throw
At mony a peerier craetir,
Ta faer hit inta flicht,
An feel nae doot da bigger
Ta see hits state o fricht.

Bit du, aald skarf, aye raeppit
Da warst onslaats o aa,
Fir du aye made wis no sae sure
O mestery efter aa.
Why sood a illfaared jeuk laek dee   ugly
No kyin at we wir set
Abön da saekkin laeks o dee
Bi da immortal Fetts?

Da shooers o stons fell tick an fast
Aboot dy roosty head,
Bit never sign o faer shaaed du,
Nor farder aff du made.
Na, troth, du raised dy wings wi rage,
An, wi wide gapin neb,
Du turned, an up da beach du cam,
An hit wis is at fled.   us (West Side)

Wi burnin shame I write hit noo,
An sair regret my pairt,
Weel kyinnin noo what een o wis
Hed da most velyant hert.

Emily Milne

SPRING

Come, Laverick, noo, an clear dy pretty trot
An sing, an sing until du's laek ta spret,
Fir Spring is come, an life tifts ida grund;   *throbs*
We're blyde ta see cauld winter tak da gaet.

Yea! Laith be's he ɪa slip his wintry grip
Even toh dry tautie-möld turns ower laek ess.
Bit Spring is come at last ta quiet his reel,
An kösh him furt an key his muckle press.   *drive*

Stewart Smith

DA NEW MÖN

Da streen i da hömin whin gyaan i da byre   *last night, twilight*
Wi a sap o baess-maet ta da kye,   *quantity*
  I cöst me ee up, an dere right abön
  Da tail o da Wart, I saw da new mön;
Boanie an clear laek a bent siller wire,
Sae veeve-laek fornenst da mirk sky.   *clear, against*

Foo shö growes an wanns I never kent richt: *waxes and wanes*
Naiter's plan is a mystery ta me,
  Bit A'm aye hed da toucht at shö cam as a gift —
  A big lowin kolli hung up i da lift,   *fish-oil lamp, sky*
Ta licht da dark gaets on da black murky night   *paths*
An help wis pör mortals ta see.

I stöd an I mösed at da end o da stack,
An waited fir Ibbie cam furt —
  "My Faader, said shö, "what a vyld-lookin mön,   *my goodness, evil-looking*
  Tak ye my wird, da fine wadder is döne,
It's never a göd sign whan shö lies on her back
Wi da aald een richt in her skurt."   *arms*

John Nicolson

SUNSET

Da sky i da wast wis a pretty red glöd,   *glow*
An Naiter wis lookin its best;
Da Wart ta da suddert pat on its white höd,
As if makin ready fir rest.

Bit doon i da vailley da folk wir still trang   *busy*
Tryin ta feenish da daily task,
Fir dey heard da notts o da hömin sang   *twilight*
Fae da laverik up i da ask.   *haze*

Da shadows began ta come doon ower da heicht,
Laek eelids grown heavy wi sleep,
An da sun kissed da hilltap a kindly göd-nicht,
An plumpit right doon i da deep.

John Nicolson

DA KOKKILURIE

the daisy

Dey wir ee peerie white Kokkilurie at grew
    At da side o da lodberry waa;   *a store with its foundation in the sea*
Hit wid open hits lips ta da moarnin dew,
An close dem at night whin da caald wind blew,
An rowe up hits frills in a peerie roond clew   *ball of wool*
    As white as da flukkra snaa.   *large snow flakes*

Hit grew frae a clift o a caald grey stane   *cleft*
    At da göt o da cellar door,   *threshold*
Hits head rekkit up ta da shaarlpin,   *pin of a wooden hinge*
Sae't whinever I opened da door ta geng in
I hed ta tak tent, fir I toucht hit a sin   *take care*
    Ta brukkle da sweet ting o flooer

Dey wir no a flooer bit hitsel ta be seen
    In aa da wide yard sae bare,
No a peel o girse, or a blade o green;   *scrap*
An hit got no da göd o da warm sunsheen,
Fir dat aald grey waa rises up laek a screen
    Full twenty feet heich or mair.

Dey wir plenty o flooers i da parks ootby
    Whaar da air is open an free;
Whin dey liftet der faces ta look at da sky,
Or boo'd doon dir heads whin da wind wis high,
Or böl'd i da girse whin da stoarm wis nigh,   *snuggled down*
    Dey wir truly a plaesir ta see.

Bit dis peerie moot, wi a look sae kind   *small creature*
    In hits patient, meeklaek ee,
Hits tippet o kurkie an shaela combined,   *purple, dark grey*
Hits sklender croopeen an fainly vynd,   *frail body, attractive appearance*
An always I toucht at hit pat me amind
    O dem at's awa frae me.

Oh, dis is a world o sorrow an sin,
    Whaar life in commotion is passed!
Bit wi aa da vexation an aa da din,
"The fightings without and the fears within,"
An aabody kyempin wha heichest sall win,   *striving*
    Death settles hit aa at last.

In October, ee nicht he cam on ta blaa
    Wi a odious tömald o rain,   *tremendous downpour*
Da spöndrift cam in ower da aest sea waa   *spray*
An drave trowe da yard laek da moorin snaa;   *blinding*
Neist moarnin my peerie white flooer wis awa,
    An never wis seen again.

James Stout Angus

DA CORBIE

Supraeme sits he,
His fedders prinkin,   preening
Sun-bricht,
Ita da grit sun's glinkin,   gleaming

A lowin flame,
Wi black een blinkin —
Nor deevil een
Keens what he's tinkin!

John Peterson

WINTER

Simmer is lowered her pretty white sail
An pooed up her boat ida tapmist noost.
Cauld winter is caerdit his oo ower da sky
In doon ida shörmil da waar lies laek roost.   high-water mark

Ower da rigs every cliv-met wi water staunds foo hoof-mark
Aa snippered an broon, widdered dockens look on. wrinkled
Da pretty white sail o simmer is doon,
An shö's laid by her boat till da winter is done.

Stewart Smith

ISLES ASLEEP

Da wind faan tired begins ta neeb,   nod
An sichs awa ta sleep,
Da sea smooths oot his toosled bed,
Sae saft an wide an deep.

Da weary sun fae his gowlden kyist
Oonfalds his coloured goon,
An quietly draas da coortins roond
Afore he lays him doon.

Da tired aald hills boo doon dir heads,
Dir baerds aboot dir knees,
An da peerie cloods, lang soond asleep,
Lie cuddled, twas an trees.

Aald Midder Mön hings up her lamp
Ta be a gairdian licht
'Nless een o her sleepin bairns
Sood waakin i da nicht.

Emily Milne

TALES

KING ORFEO

Der lived a king ita da Aest,
Skowan örla grön;
Der lived a lady i da Wast,
Whaar gjorten han grön oarlac.

Dis king he has a huntin geen,
He's left his Lady Isabel alane.

"Oh I wiss ye'd never geen away,
Fir at your hom is döl an wae.   sorrow

Fir da King o Ferrie wi his dert,
Has pierced your lady ta da hert."

. . . .

(Some stanzas missing here).

An efter dem da king has geen,
An whin he cam it was a grey stane.

Dan he took oot his pipes ta play
Bit sair his hert wi döl an wae.

An first he played da notts o noy.   sorrow
An dan he played da notts o joy

An dan he played da göd gabber reel,   hearty
At micht hae made a sick hert hale.

. . . .

(Some stanzas here are lost, but the purport was that a
messenger from below the "grey stane" appeared and in
the name of the King of Fairies invited the King, thus:—)

"Noo come ye in inta wir haa,
An come ye in among wis aa."

Noo he's geen in inta der haa,
An he's geen in among dem aa.

Dan he took oot his pipes ta play,

Bit sair his hert wi döl an wae.

An first he played da notts o noy,
An dan he played da notts o joy.

An dan he played da göd gabber reel,
At micht hae made a sick hert hale.

"Noo tell ta wis what ye will hae,
What sall we gie you fir your play?"

"What I will hae I will you tell,
An dat's me Lady Isabel."

"Ye'se tak your lady, an ye'se geng hame,
An ye'se be king ower aa your ain."

He's taen his lady, and he's geen hame,
An noo he's king ower aa his ain.

Traditional

The chorus "Skowan örla grön, Whaar gjorten han grön oarlac" is repeated in every verse. Freely translated this means: "Early greens the wood, where the hart goes yearly." Another suggested meaning is that the second line is: "Where the garden grows green yearly." The original of this ballad was said to be Danish. the refrain being all that remains of the 17th Century Danish form. It is a version of the Orpheus and Eurydice story.

SCRANNA

Da Deil he cam doon ta da hill-daek o Scranna,   *Rasmie's croft*
Bit grinnd, or sma openeen, or slap dere he saa na,   *gate, gap*
An sae, wi a glumse, an a deevil's ain glower   *snort*
He spat on his löts, an clamb tentily ower.   *palms, carefully*

I wis sittin me laen be da sheek o da fire,   *side*
Wi me een on da spunks as dey aye loupit higher   *sparks, jumped*
Dan slokkit an fell — I tinkin, "Aless!   *died*
Sae man an his glory, jöst ess, aye ta ess;"   *ashes*
Whin Seemun gets oot wi da faersomist growl,
It wis maistly enyoch ta pairt boady an sowl.
Dan I hears on da brig-stanes da muvvin o cöts,   *footpath, feet*
An da fitsteps o someen wi neesterin böts.   *squeaking*

An sae ta da door comes a aafil-laek bung,   *bang*
An someen spaeks up i da Engleeis tongue.
Bit göd feth! Da but-end wisna ill ta be seen,
So I sings oot, "Come in, an your clivviks be clean!"   *hooves*
Next meenit I hears a grit scrapin an scrittin,   *scratching*
Bit I never stirs oot o whaar I wis sittin,
An Seemun I yoks be da slack o da lug,   *seizes*
An says, "Haddi tongue! Wheesht wi dee! Doon wi dee, dug!"

Dan I sees, wi his haand on da sneck o da door,   *latch*
A jantleman, braa-laek an weel cled afore,   *well dressed*
Wi a lang taily cott an a black pair o breeks,
A sylk hat, an side-lichts on baid o his sheeks.
"Well! Rasmus, good evenin!" he says, wi a smile,
An he oot wi his haand i da hameliest style.
I kent no at first wha Ill-Helt it could be,   *the Devil*
So I says, "Feth! ye hae da advantage o me."

He maks me nae answer, bit smiles aa da mair,
An sae withoot biddin he draas in a shair,
An up ta da fire he gies ee fit a shiv,
Wi a soond jöst da sam as da scrit o da cliv.
I looks at his fit, an he cliks it awa,   *snatches*
An sticks oot his knee till da breeks hoids it aa,
Bit he was ower late, an tinks I ta mesell,
"An I wret ta dee, Boy, da address wid be Hell."

Bit he tinks I saa naethin, and sae he begood,   *began*
Wi a voice kind o pleasant, and no very lood,
"I observe you don't know me, although we have met,"
Wi dis on da creepie his sylk hat he set.   *stool*
"You are looking much older and rather careworn."
"Yea," I says, "It's a while noo sin Rasmie wis boarn,
An ye dönna growe young-laek wi followin da sea;
Bit what, tink ye, wid ye be wantin o me?"

"Oh," he says, smilin saft, "I have dropped in along,
Just to say as a friend, that I think you are wrong
In some of your views about life and all that."
An he sleekit da croon o his lang sheenin hat,   *smoothed*
An hunkled himsell, fir his cott wis geen swint   *shrugged*
Wi a wecht at he hed i da pocket ahint.
Dan he poos aff his glivs an his twa haands I saa,
Wi da nails jöst da sam as da neb o da craa;

So ta hoid dem, he faaldit his airms at eence,
An his een lookit at me as sharp laek as preens;
Dan he says, "Look at me, I've been years in the Kirk —
I admit you may think I got in by a quirk —
I dispense the Communion, I preach, I baptise,
You can manage it all with a few handy lies,
(As some people call them in vulgar parlance,
Reservations we term them, we men who advance)."

"Yea," I says, "Der sma doot ye can shuffle da caerts,
I warran ye'll be, noo, a Mester o Aerts."
Dan he keekit a paet, wi his böt, inta flame,
An said he felt caald whin he wisna at hame;
An he taks frae his pocket a bit iv a flask,
An says, "Rasmus, are you t-t , may I ask?"
"Yea," I says, "i da meantime I hae sma desire
Ta swee wi yun mixter o blöd an o fire."   *burn*

"Oh! it's fine, have a wet." "Na," says I, "no a sipe,"   *sip*
Dan he pits it awa, an he draas oot his pipe;
An he shörly foryat, fir doon his haand gengs,   *forgot*
An he lifts a haet coll withoot takkin da tengs.
"Ye're at haem wi da fire," dan I says wi a girn,
An wi dis, heth! he slips it an looks kind o tirn;   *angry*
Bit he smiles da neist meenit an nods trowe da smok,
An he says, "You are rather a humorous bloke;

"Don't you think now that you are a little adrift?
Don't you think now you'd like to succeed — get a lift?
To be something decent — some big reverend don?
To distinguish yourself, man, in fact, to get on?
You're as simple to-night as you were in your youth;
The thing that pays best is what I call the truth;
That is the view which I wish to reveal."
Says I. "Feth! I doot, honest man, ye're da Deil."

Dan he smirkit at me an he sleekit his hair,
Fir his hoarn wis cockit a grain i da air,   *little*
"Well, supposin I am, now," says he, noddin trice,
"Tho it comes from the Devil, it's still good advice;
I'll tell you what, Rasmus, just listen, keep cool,
You're a great many different kinds of a fool."

"Ye scoondril!" says I, an I raise ta me fit,
"Oot o dis wi dee! Hent desell!! Heckle noo! Flit!" *take yourself off*

Dan I gies his sylk hat a grit rise wi me clug,
An slips noo me grip apo pör Seemun's lug.
Wha, tinkin it time fir ta gie him a seg, *grip*
Sank his yackles fair inta da baa o his leg: *teeth, calf*
Sae he springs til his feet, an, makkin a claa
Fir me gansey, he cloors baid da shooders awa. *jumper, claws*
Wi ee haand I grips dan da breest o his cott,
An I yoks wi da idder da slack o his trot;
Dan his face comes as black as da very Ill-Helt,
An he aims me a lick jöst anunder da belt.

"Wid du! du villain!" I yalls, gettin mad,
An sae bi da cuff o his neck taks da lad;
An dere on da flör as we stöd i da mids,
I shaks him da sam as da buggie o sids, *bag of husks*
Till I feels me aald airm beginnin ta tire,
Dan awa he goes fair on his saet i da fire;
Bit he up, an sae oot o da pooch o his cott
Cam da tail at he hed dere rowed up in a knott.
It lies on da flör fir a meenit and smoks,
Dan spoots ta da lent laek da jeck-i-da-box,
An Seemun, he yoks da sma end in his jaas,
An scrits at it, faerce-laek, wi baid o his paas.
Dan we wrassles agen, an göd trath! A'll be boond
Fir a wharter-a-oor ye'd a no heard a soond
Bit da crackin o shairs, an da clump o a clug,
Da scrit o a cliv, an da yalp o da dug,
As he strak noo an dan i da crook-an-da-links *chain and hook in fire-place for holding kettle*
Whin da lad swang his tail ita een o his jinks —
Fir Seemun, pör trow, wi his legs in a bing, *heap*
Geed hirslin aroon laek da stane i da sling. *hurtling*

Dan I draas him wi force öbdee by ta da door, *out by*
An wi dis he comes oot wi a oondömious roar, *extraordinary*
An oot o me hair, feth! he clachters a gyoppen — *clutches a double handful*
Noo, da door, sin he left her, wis still a grain open —
Wi mi clug-tae I reesles her clean ta da back *opens violently*
An a yok fir da slack o his breeks dan I mak,
An taks him a hyst wi a mention o strent, *trifle*
An sae on da brig-stanes I laands him his lent;
An dads tö da door, maistlins layin in coom *hangs, powder*
Da pairt o his end at wis still i da room;
Dan he sprikkles laek sin, an he plöts wi a wail, *writhes, whines*
"Ah! look oot, min, Rasmie, ye're brukkin me tail!" *crushing*
So efter a meenit I aedges da door,
An he rives his tail furt trowe da crack wi a snore, *tears, out*
An Seemun, pör wirm, still rowed in a knot,

Striks da jamb o da door wi a dooce laek a shot,   thud
Sae at he's strypit aff, an he yikkas an growls,
An dan whin he canna win oot sits an yowls.
I da meantime, da Black Boy he breaths him a bit,
Dan he comes fir da door wi a rip what he's fit,   spurt
An he hunches wi pooer, wi his cliv til a stane,   heaves
Bit da maist at he hairmed wis his ain shooder-bane;
For dere as I stöd, heth! I steekit her fast,   closed
Wi da tae o me clug laek da step o da mast;
Dan, efter a start, wi his mooth at da holl,   little
He says wi a soond at wis maistlins half droll,
As he twisted his face up an girned an shammed,   made faces
"Nee! Rass-moos! A'll get dee! Du's sure ta be damned!"

"Na! feth I!" I says, "Boy! aald Rasmie is feft."   bespoken
Dan he hankit his tail ower his elbik an left.

J. J. Haldane Burgess

DA LAD AT WIS TAEN IN VOAR   Spring

O Sailors at sail da sea,
Far nort at da Labrador,
Or oot whaar da icy barbers flee,   driving sleet-showers
Aboot Greenland's frozen shore;
O tell me, an tell me true —
Bit A'm no tinkin ye wid lee —
Ir ye ever seen ocht o my boanie young laad
At wis hustled awa frae me.

Hit wis i da first o da Voar
Wi da towe o da hidmist snaa,   thaw
Whin a ship cam sailin in ta wir shore
Frae some place far awa;
I sat at da window dat day,
An I stöd i da open door,
An I heard da rinkle o her iron shain,   rattle
Shö anchored dat near da shore;

An shö sent a boat ashore —
Dey laanded doon at da Hwi —
An every man hed a glitterin gun,
An a swird apon his tigh;
An dey took my laad awa
Frae his faeder an midder an me,
An dan dey hystit der sheenin sails
An sailed awa ta da sea.

O sailors at sail da sea,
Far sooth whaar da sun is high,

Ye shörly see mony a boanie laand
Whin ye geng sailin by.
O tell me, an tell me true,
Whinever ye göd ta da shore,
Saw ye onything dere o my boanie young laad,
At wis taen i da first o da voar?

Der twa men in love wi me,
Baith gödly an weel ta dö,
Dey hae hooses an fairms an boats at da sea,
An sheep inta mony a crö.   enclosure for sheep
Dey gie me da time o da day,
Sae kindly whin dey geng by;
Bit dey look, an dey smile, an dey winder at me,
'Cas I mak dem nae reply.
O sailors, at sail da sea,

Far aest at da world's rim,
Or up trowe some unkan midland sea,   foreign
Or wast at da day-set dim,
O tell me, an tell me true,
If ever ye happen ta see
Or meet wi, ta spaek til, my boanie young laad,
Will ye tell him dis wird frae me:
At A'm livin, an lippenin, an still hae a hoop   expecting
At A'll see him afore I dee.

James Stout Angus.

HUMOUR

BOOCIN BAABIE

But an ben
But an ben,
Boocin Baabie;   bustling
Up an doon,
Roon an roon,
Screechin laek a swaabie.   great black-backed gull

Fir sic a lass as Baabie is,
Dey never wir her match;
Shö's werr dan ony second-mate
At ever caalled a watch.

It's "Faider dis," an "Faider dat,"
Wi orders sharp, precise,
"Geng ta da stack," "Geng ta da wal,"
"Set dis afore da grice."

Da sam wi Synnie, her aald mam,
Shö hunds her here an dere,   hounds
"Bring in twa paets," "Stick on da pot,"   a few
"Rub up da restin-shair."   wooden settle

Shö yokks a spade, comes buxin in   seizes, tramping
An scrits da earten flör,   scrapes
An says shö wants ta hae it richt,
Whin it's ower weel, A'm shöre.

Shö taks a tub o soapy blots,   soap-suds
An swabs da ben-room oot,
An cleans da peerie window peens
Wi muckle cutton cloot.

Noo! here shö comes wi bösim faerce
Ta sweep aboot da fire,
Ill-trift sit in her restless haands,   bad luck
I tink shö'll never tire.

Hoots! haddee, lass! lat be me clugs,
Ta dee aa-thing is bruk,   rubbish
So! proag no in aboot me feet,   poke
Du'll sweep awa da luck.

Phew! Sees du dis? Jöst view da ess!
Da tae-pot! Feth du'll brak her!

O sic a jadd as Baabie is —
I wiss some man wid tak her!

But an ben
But an ben,
Boocin Baabie;
Up an doon,
Roon an roon,
Screechin laek a swaabie.

J. J. Haldane Burgess.

SENSIBLE TA DA LAST

Da wife, eence trang wi mony a shop,   *busy knitting for several merchants*
Fir want o breath wis shokkin —
Aald Death wis come ta pit a stop
Ta her an aa her trokkin.   *bartering*

An as shö lay an toucht an toucht
Ower aa her bits o daelin,
Her wanderin een noo Frankie soucht,
An noo dey soucht da caelin.

An dan shö spak, "Dis I mann tell,
Göd ta me mind is broucht it:
We paid no Sharlie fir da mell,
Du kens, yun day we boucht it."

"Hear hoo shö raves!" says Frankie dan,
An poo'ed da mutch-string slacker,   *cap string*
Shö's been laek yun frae efter wan —
Aye sin da fivver strak her."

Shö spak agen wi crex an hurr,   *clearing of throat, rough breathing*
"I kno no wha's da faat is,
Bit Robbie never paid wis fir
Yun hinmist peck o taaties."   *last*

Dan Frankie says, an grips her haand,
Da saat taers rinnin fast,
"No sic a wife in aa da laand —
Yiss! sensible ta da last!"

J. J. Haldane Burgess.

OH, SHÖ, SHÖ

Yea, lamb, A'm tellin you da tröth,
An care na wha may hear it;
He's just geen forty year da day
Sin I an Ellie mairried.
An sin da oor we started oot
Ta face da wirld tagedder,
A'm driven roond a heedless hulk,
Wi Ellie fir a rudder.

Hit maeters no what I pirpose,
Shö aye fins some objection;
No dat shö tinks my plans unwise,
Bit jöst fir contradiction.
An sae hit's been, year oot, year in,   week end
Frae helly roon ta helly;
If I pirpose a stabert coorse
Hit's hard-a-port wi Ellie.

Aless! as I mind weel da day
I first took toucht aboot 'er,
I draemt at what remained o life
Wid be a blank ithoot 'er.
An whin I saa young Gaan o Gluss
Cast langin eyes apon 'er,
I felt a kind o wild desire
Ta wipe 'im oot an win 'er.

Sae aff I set ta Sklantigirt
Ee efternön in Voar,
An fan aald Lowrie heftin spades   putting handles on
Ahint da barn door.
An dere an dan 'thoot farder fuss
Or higglin ower da maeter,
I introduced my business wi
A mutchkin o da craeter.   glass of whisky

Says I "My Lowrence, A'm come ower
Ta-hem!—ta spör fir Ellen —   ask for her hand
Dat is, shö's promised ta be mine,
If only ye be willin."
Aald Lowrie loopit til his feet,
Bolt upright as a pillar;
Says he, nigh shakkin aff my airm,
"Feth, boy, du's wylkim till 'er."

Tinks I, "Heth Lowrie's ower weel plaesed
At A'm da first at's soucht 'er."
An prood wis I ta tink he deemed
Me wirdy o his douchter.

Dat nicht I toucht life's cloodless lift　　　　　　　　sky
Wid niver maer be sombre;
Da prize wis mine, bit 'tween wirsells —
Deil tak da winnin number.

Fir joy hae me as hed I kent
Her tongue could be sae frichtsome,
As I'd a left her whaar shö sat
Ta hadd aald Lowrie lichtsome;　　　　　keep him happy
Bit love is blinnd, an I wis sowld,
An sae A'll hae ta dree 'er,　　　　　　　　　endure
Fir if I stöd ipo my croon
Sad fetcht o paece is wi 'er.　　　　　　　not a bit

Dö what I will, an dö my best,
Hit's niver til her laekin;
Fir day or nicht shö's niver plaesed,
Unless hit be's whin spaekin.
A claag laek her's ye winna fin　　　　　　clamour
Abroad, on eart or ocean,
An he at maesters her lang tongue
Micht solve perpetual motion.

T. P. Ollason.

TUNDER

Dis scienteefic boddies says,
Dey ken what maks da tunder,
An heth da very lichtnin tö.
Noo, dösna knowledge spunder?　　　　　move fast

Dey say it's electreecity.
Noo, what is dat, I winder?
Some pooerful kind o blast, I mak,
Fir rivin things insinder.　　　　　　tearing apart

Lichtnin? Is it no jöst aald Thor,　　　god of Thunder
Apon a clood up sittin,
At's makkin for ta licht his pipe,
An sae a match is scrittin?　　　　　　scratching

An whin ye hear oondömious noise　　　tremendous
Trowe aa da heevens soondin,
It's him among da Giant-boys,
An geein dem a poondin.

Wi clunkin clugs ower Asgard's flör,　the home of the Norse Gods
At times he taks a spunder,
An draas his Hammer be da heft —　　　handle
Noo, isna dat da tunder?

J. J. Haldane Burgess.

HISS! SIGG HIM!

O! wir dey ever failed aald man
At hed sic ills ta dree,   endure
As Göd, in His rich providence,
Is owsin oot ta me?   pouring

Dere's Kirstie ta da gutteen aff,
An Baabie til a place,   gone to be a servant
An peerie Keetie's aa at's left
At hame ta guide da baess.   cattle

An noo aald Shördie Tamsin's oy   nephew
Is snuffin efter her —
Göd feth! it wid pirvok a sant,
An set him in a birr.   rage

Even noo he's creepin trowe da yard —
He tinks A'm geen ta bed;
Sae help me! as I'se lay me staff
In splinters ower his head.

"Hiss! Starrie! Seemun! Tak a hadd!
Hiss! Sigg him! Noble dugs!
Till I win oot an sort da lad —
Hoy! Synnie! Whaar's me clugs?"

J. J. Haldane Burgess.

D

REFLECTIVE

DA NICHT AT CHRIST WIS BOARN

A lass, wis gyaan ta cry, *about to have a baby*
Ta Bethlehem cam, weary an makkin maen; *moaning*
An fan dey wir nae wye
Ta lay her doon, fir aa da beds wis taen.

Da lodgin-mistress said
Da byre wid hae ta dö dem, til da moarn.
Dere, twa clean windlins spread *bundles of straw*
Athin an empty stall, Goad's bairn wis boarn.

A peerie whaig, wi a starn *young cow*
Athin her broo, wis tied apo da waak; *outer floor of byre*
An, inbye i da barn,
Wi sleepy peester, hens apo da baak. *chirps, perch*

Whin aa wis ower an döne,
Da midder's een droopit in sweet relief;
Joseph sat winderin on
Dis marvel at wis nearly past belief.

Dan suddenly, da lift *sky*
Wis filled wi light an singin fae abön.
As Pretty Dancers shift
Sae moved da singers o da heevenly töne.

An whin dey aa wir geen,
Doon da lang hilly gaet da shepherds cam,
Winderin what hit might mean:
An een wis kerryin a ting o lamb.

Dey cam in trowe, an bent
Afore da Infant in a glöd o licht.
Inta demsels, withoot a doot dey kent
Hunders o years wid hear aboot dis nicht.

Stella Sutherland.

CAROL

Da mön an stars comes oot ta see
Glansin strips across da sea:
Da Mirry Dancers far up high   *Northern Lights*
Fans across da nordern sky.
Hushed and calm da sea lies quiet.
Gently braethes dis Holy Nicht.

Hark! A distant snyirkin oar!   *creaking*
Saftly lays he tö da door.   *closes*
Da coo laeves showin on her cöt;   *chewing the cud*
Da calf lats faa da sweet kale röt.
Da hens peeps furt fae cosy wing
Ta hear da Holy Midder sing.

Up abön, da Star o Grace,
Sent fae Göd ta mark da place,
Shades doon trowe da girsie lum.
Sht! Everything is faaen dumb!
Da moose laeves skrufflin i da hye   *rustling*
Ta hear da Holy Infant's cry.

Lay by, O men, your quarrels sair!
Sing praise an glory evermair!
Dis Babe at draas His first sweet braeth
Is come ta save wis aa fae daeth!
Oh! Praise an Glory noo on high!
Lift up your voices ta da sky!

George P. S. Peterson.

LIVIN COLLS AND CAULD CLODS   *small peats*

In comes peerie Johnie wi his fingers frozen taws,   *roots*
Oot apo da toonmals he's been rowin snawy baas,   *fields*
"O dönna lay da cauld clods up ta da lowin taands,   *brands*
But minnie, minnie, beek my haands afore da open braands."   *granny, warm*

"Minnie's jewel manna greet, but, lammie, come ta me —
We mann lay at da cauld clods, or dan da fire wid dee;   *put on*
But I sall beek da frost awa fae dy twa boanie haands,
An livin colls 'll mak cauld clods dance up in lowin taands."

O bridders! dat's da only plan love kens to raise a lowe:
Lay at a warm side til a cauld, an troth ye'll see a towe!   *thaw*
O dönna shooder aff pör sowls wi frozen herts or haands,
Fir livin colls'll mak cauld clods dance up in lowin taands!

Basil R. Anderson.

A SKYINBOW O TAMMY'S

lively reel tune

Oh, man Tammy dis is vexin,
Hearin what du haes ta say:
Boy, I tink du'll tak da fiddle —
I wid laek ta hear dee play
As du played at rants and hamefirs   *dances, gatherings*
Mony a time afore dis day.   *held after weddings*

Yun's da "Mirry Boys o Greenland",
Bit da Greenland men is geen;
"Underhill," fae first I heard him
Mony a heavy day A'm seen.
Whin du plays "Aald Swaara" ta me,
Boy, da taers comes ta my een.

Minds du whin we baith wir younger,
Foo I ösed ta sit an look
At da muckle yatlin kettle   *iron*
Hingin rampin ida crook,   *boiling furiously*
An du played dy lichtsome skyinbows
Inbee at da shimly-neuk.

"Dat's aa geen noo"—Ya, I kyin it;
Mony a thing is geen fir aa.
Nooadays der very little
O da aald wyes left ava.
Tinks du, wid da folk be better,
If dey cöst da rest awa?

Trowe wir minds wir ain aald language
Still keeps rinnin laek a töne.
Laek da laverik ida hömin,   *twilight*
Sheerlin whin da day is döne,   *singing gaily*
Laek da sich o wind trowe coarn
At da risin o da mön.

Hit's da screechin o da swaabie,
An da kurrip o da craa;
An da bulder o da water
In aboot da braakin baa;   *water breaking over*
Hit's da dunder o da North Wind   *a sunken rock*
Whin he brings da moorin snaa.   *blinding*

Hit's da soond da sheep maks nyaarmin   *bleating*
Whin you caa dem on afore,
An da noise o hens, aa claagin,
Layin Paece-eggs ida Voar;   *Easter eggs*
An da galder at da dug gies,   *yelp*
Whin a pik comes ta da door.   *knock*

Wirds laek Freddie Stickle's music   *famous Unst fiddler*

Whin he played "Da Trowie Burn",
Wirds wi fire an frost ita dem,
Wirds at nearly maks you murn.   *cry*
Some we hae, baid coorse an hamely,
—Nane can better dö da turn.

Things at maks dis life wirt livin,
Dey're jöst laek da strainin-post.
Whin he's brokken, hit's no aesy
Gettin new anes, an da cost,   *it will not be*
Hit'll shön owergeng da honour,   *worth while*
If da aald true wyes is lost.

Vagaland.

VOLISTER

Oh, Volister, aald Volister,
Toh du's in coom, du's no dee lane,   *dust, not alone*
Der mony a röfless toonship here,
As greed's cruel witness lyin green.

Mony a time du's watched da sun
Dook doon ahint aald Rönas Hill,
An mony a time whin day wis döne
Du's watched da stars at never will.   *lose their way*

Dy sun is set; du's hed dy ooer;
Bit still dy brucks lies dere ta see,   *fragments*
Laek da örmals o a fire, a gloor   *remnants*
At burns awa an winna dee.

Yis! hit wis greed at broucht dy care,
Föl man at set wan man ower aa,
Sappit dy strent, an left dee dere,
Laek a öseless löm at's bal'd awa.   *vessel*

Bit da örmals o a fire can burn;
O öseless löms can öse be made:
Coorse things at sometimes mak folk murn
Can mak dem gaff an raise dir head.

Cruggin ahint dy run hill-daeks,   *sheltering*
Du lies an draems o lang ago;
Dy story lood ta wis du spaeks,
Fir aa at dy waas ir lyin in soe.   *fragments*

Stewart Smith.

BAIRN RHYMES

EENCE APON A TIME

Aald Minnie tells some faersome stories:
Shö says da Trows comes oot at nicht
Ta waander doon amcng da hooses
Fae dayset til da moarnin-licht.

Shö says dey wait oot by da brig-stanes
Ta tak bad bairns awa some place;
Da warst o dem is Peesterleetie,
Terrie Mittens an Trunsher Face.

My maamie says hit's jöst a story
Laek what's ita da Fairy Tales:
Der naethin waitin ida mirkenin   darkening
Fir peerie bairns at's furt demsels.

Bit whin da nicht is gettin darker,
Dat dark at I can hardly see,
I tink, "If A'm bön bad, dan maybe
Da Trows micht come an look fir me."

An I mann geng, whin lamps is lichtit,
Fir mylk, becaase we hae nae coo,
Doon ower da gaet, an by da Chapel,
An on alang da burn-broo.

An cross da dark-broon, froedin water,   foaming
Fae steppin-stane ta steppin-stane;
Hit seems dat far ta lichtit windows
Apo da lang hill-gaet my lane.

A'll never leet! A'll tak my pistol,
Da een at Santie brocht fir me,
My bran-new, sheenin automatic
An a box o kyepps ta lod her wi.

A'll lod her up, an tak my blinkie;   electric torch
Dan I can traivel ony place,
An A'm no faered fir Peesterleetie,
Terrie Mittens or Trunsher Face.

Vagaland.

MY PEERIE DUKKI

little doll

Weel I mind dat day, ye see
I toucht mysel sae lucky;
My auntie boucht, an gae ta me
A luvely peerie dukki.

Wi golden hair, an een sae broon,
I coodna keep fae peepin,
Efter I wis laid her doon,
Ta ken if shö wis sleepin.

Whin I laid me doon ta sleep,
I took her i my bosie,
Becaase I felt at I mann keep
Da boanie dukki cosy.

bosom
must

I made a mutch o luvely stuff;
Da best at I could finn,
Wi strings at I toucht lang anyoch
Ta tie below her chin.

cap

It faered me whin I took her oot,
At shö got ony herm;
Sae I shapit fae a strippit cloot
A froack ta keep her warm.

I felt at it wid brak my hert,
If I wis sae oonlucky,
At shö an I sood hae ta pairt —
My boanie peerie dukki.

John Nicolson.

ROBBIE REDBREEST

Robbie Redbreest! Here du comes
Ta da door ta look fir crumbs.

Aa da grund is white wi snaa;
Der no muckle ta aet ava.

Black frost ower da water tö,
Naethin ta drink! What will du dö?

Here's some bread fir dee ta aet,
An a aer o water atil a plate.

drop

Yun's da hens apo da broo.
Kirr! Kirr! Der naethin here fir you.

Look wha's comin oot da transe.
Kist, cat! Kist! Shö winna anse!

passage
pay heed

Noo du's gotten a gluff an fled.
Come back afore I geng ta bed!

fright

Vagaland.

MOOSE, MOOSE, MEESERIE

Moose-moose-meeserie,
Whaar is du rinnin?
In an oot, roond aboot,
Hunsin an finnin!   searching

Moose-moose-meeserie,
Whit is du wantin?
Bed or böl, crumb or kröl,   resting-place,
                                              small barley cake
Or I be fantin!   before, starving

Moose-moose-meeserie,
Whaar is du gyaan?
Frae da kol, doon da hol,   haycock
Noo da cock's craain!

Moose-moose-meeserie,
Whaar is du teetin?   peeping
Trowe a trink, for a blink,   narrow passage
Whaar A'm no leetin!   letting on

Moose-moose-meeserie,
Will du come back agen?
Dat sal I, weet or dry,
Sae I can tak agen!

                                              R. W. Tait.

SANTIE'S REINDEER

Da Göd Man hings da starns oot
Laek peerie lamps sae bricht,
Sae Santie Klaas can fin his wye,
Whin he comes here da nicht.

Dis nicht he yoks his reindeer up,
An drives dem trowe da sky;
Dan he taks on his muckle bag
An laeves his sledge ootbye.

"An, maamie, whin you mylk da coo
You'll geng an tak a skurt
O hey, or maybe twartree shaeves
An laeve dem lyin furt.

Da reindeer haes sae far ta geng;
Dey're maybe hed nae maet,

An he'll be blyde if he can fin
A grain fir dem ta aet.

A'll hing my sock apo da raep
Jöst in below da brace,
An whin he's trivelled trou da lum,
He'll aesy fin da place.

mantel-piece
groped

He'll never come till A'm asleep,
Sae A'll pit on my goon,
An up da stairs ita da laft
A'll geng an lay me doon.

You'll pit da claes aboot me noo,
Becaase he's gittin late,
An, Maamie, whin you mylk da coo
You'll mind da reindeer's maet."

Vagaland.

TAMMY NODDiE

the Sandman

Peerie mootie ting, come dee wis ta Mam,
Daa is geen awa ta böl da coo;
Du's waandered far da day, gyaan til, an comin fae,
Noo Tammy Noddie's comin ower da broo.

bed

Come watch da blinkin lowe among da clods,
Da vaaless reek laek rowers o shaela oo,
Sae lazy, tired, an glum, is oagin up da lum,
An Tammy Noddie's comin ower da broo.

listless, rolls of
grey wool
creeping

Hears du fleckit Tibbie's boanie purr!
Shö's hed her mylk, an noo lies stunkin foo,
Peerie kitty in her skurt, makkin shöre shö'll no be furt,
Whin Tammy Noddie comes doon ower da broo.

grunting
bosom, outside

Da pleepin whaap is hoidin in her nest,
Da peerie grice lies closs up ta da soo,
While da fairies an da trows aa coag aroond da knowes,
Watchin Tammy Noddie comin ower da broo.

crying curlew

peep

My peerie aamis ting, Göd bliss dy boanie face,
Dy laachin mooth, an golden croon divine,
An grant at whin Aald Tammy comes his hidmost vaige,
Dy Mammy'll meet him wi as calm a face as dine.

innocent

Laurence Hutchison.

DA BAA-BAA BOKIES

Da peerie trows ir oot da nicht.
Sees du da mön's glig ee,   sharp
Jöst skoitin ower da Trowie Stane   peeping
Shö's no ta miss da spree!

Een sits apon a paddik stöl,
An shews himsel o goon,
Wi weesps o Lukki Minnie's oo,   cotton sedge
New pooed fae Leesbit's Toon.   croft

An here's a peerie trowie ting,
Wi hair laek silver oo.
Shö's waeved da saaftist tissil shaald   shawl
Ta hap a Saandy Loo.   Ringed Plover

An dem twa i da shoormil edge,   edge of foreshore
Wi linns ta lift da keel,   skids over which
Rin doon a peerie cockle shall,   boat was drawn up
Ta aandoo fir mareel.   row slowly, phosphorescence in sea

Naa, sees du yon ill-trikkit brats,
Apo da sea-flechs' necks,
Gyaan spangin trow da ebbin-stanes,   springing
Laek peerie jimpin-jecks!

An dere comes fower wi speeders' wubs,
Ta drag da saaty pöls,
Ta catch da mön an aa da stars,
An hing dem up for Yöle.

Noo tinks du no at du wid laek
Ta geng awa wi dem,
Ta see da peerie trenkies   narrow clefts
Whaar dey lay dem doon ta draem?

Dey wid hush-a-baa dee, baa dee,
An nön dee laa lee loo,   sing softly
An du wid snuggle doon wi dem
Du peerie croodlin doo.   cooing dove

Bit noo du's aff apo dee vaige,
Ta sail da seas o rest.
A'll laeve dee ta da peerie trows,
Dey'll guide dee far da best.

Emily Milne.

TRANSLATIONS

DA 23rd PSALM

Da Loard's my hird, I sanna want;
He fins me böls athin   *resting places*
Green mödoo girse, an ledds me whaar
Da burns sae saftly rin.

He lukks my wilt an wanless sowl,   *entices, lost, desolate*
Stravaigin far fae hame,   *wandering*
Back ta da nairoo, windin gaet,
Fir sake o His ain name.

Toh I sood geng doon Daeth's dark gyill,   *valley*
Nae ill sall come my wye,
Fir He will gaird me wi His staff,
An comfort me forbye.

My table He has coosed wi maet,   *heaped*
Whin fantin göd da fremd;   *starving, strangers*
My cup wi hansels lippers ower,   *gifts, overflows*
My head wi oil is sained.   *consecrated*

Noo shörly aa my livin days
Göd's love sall hap me ower,
Until I win ta His ain hoose
Ta bide fir evermore.

John J. Graham

A SONNET

(From the French of Pierre de Ronsard)

Some nicht whin du is aald, an, glansin on da brace,   *shining*
Da caandle lichts dy wheel, weel set in ta da fire,
Nönin my sangs, du'll hark: "Whin I wis eence da vyre   *humming, flower*
O aa da laand, Ronsard, du rösed my boannie face."   *praised*
Dan no a servant-lass at neebs ower her hap-lace,   *nods*
An dovers ower oot-döne wi darg o hoose an byre,   *falls asleep*
Bit whin shö hears my name, her haand'll slip da wire,
An rise as if ta bliss dee, deathless be my grace.
Toh under fael my banes in some aeth-kent kirk-yard,   *well-known*
Among da michty skalds A'll tak my aese at last.
Ower da hert-stane du'll cooer, failed, croppen, nigh twa-fald   *bent*
An graim ower my lost love, an dy prood disregard.   *complain*
Live, if du'll ant me, noo! waitna till du's grown aald;   *heed*
Gadder life's flooers afore dy day an dirs is past.

William J. Tait.

SONGS

THE UNST BOAT SONG

Translated and Edited by William W. Ratter
(From The Shetland Folk Book, Volume II)

Starka virna vestilie   Obadeea, obadeea
Starka virna vestilie   Obadeea monye

Stala, stoita, stonga, raer,   Oh, whit says doo, da bunshka baer;
Oh, whit says doo, da bunshka baer;   Litra mae vee, drengie

Saina papa wara   Obadeea, obadeea
Saina papa wara   Obadeea moynie.

SUGGESTED TRANSLATION

"Starka," Norwegian "stark" or "staerke'," meaning strong.

"Virna," weather or wind. Compare the Biblical, "truede vierne og söen" — rebuked the winds and the sea.

"Vestilie," westerly, from the west'ard.

"Obadeea." This may be the Norn equivalent of the Norwegian "obyde" given by Aasen meaning "fortræd" : hurt, trouble, annoyance.

"Monye" or "moynie." Men? It appears the skipper is addressing the crew.

"Stala." Put in order. Norwegian "stella."

"Stoita." Support. Norwegian "stöde--bringe til stadighed." In this case, brace up by the shrouds.

"Stong," mast.

"Raer" : re yard; but "raer" is the plural. Was there once a type of boat here different in rig from the sixern?

"Oh , whit says doo," is plain modern Shetlandic.

"Da bonshka baer." "At baaden ska' baer" : that the boat will bear or carry her sail. "Baaden" would become "boen" through the "d" being elided when the article "en" was added : "baaden—bo(d)en."

"Litra" or "leetra," Norwegian "lita—lada sig nöie," be pleased with. "Litra mae vee." I am pleased with that.

"Drengie," boys.

"Saina papa wara." Bless us, father ours; or bless us, our father.

BRESSAY LULLABY

Words and music noted down by **Mrs E. J. Smith**
from her mother's singing.—Shetland Folk Book, Vol. I.

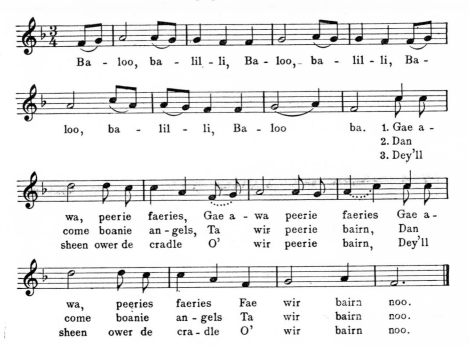

Ba - loo, ba - lil - li, Ba - loo, ba - lil - li, Ba -
loo, ba - lil - li, Ba - loo   ba. 1. Gae a -
                                         2. Dan
                                         3. Dey'll

wa,   peerie   faeries,   Gae a - wa   peerie   faeries   Gae a -
come boanie   an - gels,   Ta   wir   peerie   bairn,   Dan
sheen ower de cradle   O'   wir   peerie   bairn,   Dey'll

wa,   peeries   faeries   Fae   wir   bairn   noo.
come   boanie   an - gels Ta   wir   bairn   noo.
sheen   ower de   cra - dle O'   wir   bairn   noo.

Refrain: Baloo balilli, baloo balilli,
          Baloo balilli, baloo balilli,
          Baloo ba.

          Gae awa, peerie fairies,
          Gae awa, peerie fairies,
          Gae awa, peerie fairies,
          Fae wir bairn noo.

              Baloo etc.

          Dan come boanie angels,
          Ta wir peerie bairn,
          Dan come boanie angels,
          Ta wir bairn noo.

              Baloo etc.

          Dey'll sheen ower da cradle,
          O wir peerie bairn,
          Dey'll sheen ower da cradle,
          O wir bairn noo.

              Baloo etc.

                              Traditional

DELTING SPINNING SONG

Recorded by **Tom Georgeson** from **Mrs C. Laurenson.**

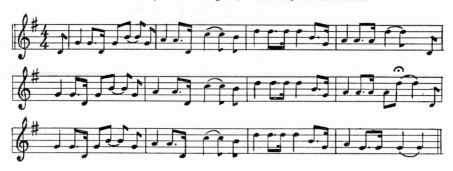

I sit apo my creepie   stool
An spin apo my wheel,
An tink apo da boanie laad
At laeks me sae weel.

Chorus: Sing hey tweedle tweedle,
Sing how tweedle twee!
Da boanie roond rim
An da bricht sheenin ee.

My Joanie is boanie,
He's gyaan ta da sea,
He'll come back wi money
Atween him an me.

Chorus.

A stör i me pocket   a copper
An siller i me pooch,
An gold i me kyist-nyook,   corner of chest
A'll no want fir much.

Chorus.

A'll no hae a slug,   smock
Ir an aald ringlet cott,   striped petticoat
Bit a göd sylk goon
An a boanie breest-knot.

Chorus.

Nae mair A'll hae rivlins
Ta platsh ower da Lee,
Bit göd ledder böts
Laced up ta me knee.

Chorus.

A'll link in his airm,
An geng ta da kirk;

In Voar at da dellin,
A'll no need ta wirk.

Chorus.

Sae haste dee, my Joanie,
Come hame fae da sea,
Come hame wi dy money
Atween dee an me.

Chorus.

Traditional

GYAAN TA DA FAR HAAF

Words by **George Stewart,** music by **Tom Anderson.**

Janny get my sea bread;
I hoop du haes it clare;   ready
Da sky is saftly marled ower,   streaked
A sign o wadder fair.

    Fir A'm gyaan ta da far haaf,
    Becaase da wadder's fair,
    An a boanie lok o fish we'll hae
    Ta lay apo da ayre.   beach

Get me my böddie made o gloy   straw
Dat hings ahint da door;
My skinjup an my sea-breeks,   oilskin jacket
An see dey're hale afore.

    Fir A'm gyaan ta da far haaf, etc.

Pit in my mittens an my dags,
An mind a keg o blaand;
Ta slock my trist, fir weel du kens   quench
Da wark we hae in haand,

    Whin we ir at da far haaf, etc.

My sea böts an my köttikins,   ankle socks
Jöst see dey're in da böddie:

My mussel-draig, my lempit pick,
As sae my lempit cuddie.   baske: for holding bait

      Fir A'm gyaan ta da far haaf, etc.

My snöds an handline rex me doon,   short bits of line
Dey're dere upon da layem,   shelf of loose boards
An noo dat's aa, Lord be wi dee,
Fir I mann geng fae hame,

      An geng ta da far haaf, etc.

Da pirr o wind is fae da wast,   light breeze
An we'll hyst up da sail,
Until we come ta fishin grund
Whaar we can set an hail.

      Whin we come ta da far haaf, etc.

Bit first geng oot an meet wi me,
Jöst as I laeve da door;
Fir weel I ken dy fit haes luck,
As I hae funn afore,

      Whin I göd ta da far haaf, etc.

Sae Lord be wi dee noo, an keep
Baith dee an aa da bairns;
He kens dat baith fr dee an dem
My very hert it yearns,

      Whin I am at da far haaf, etc.

Keep up dy hert an dönna greet
As aft du's dön afore;
Bit tink apo da lok o fish
We're shöre ta bring ashore,

      Whin we come fae da far haaf,
      Becaase da wadder's fair,
      An a boanie lok o fish we'll hae
      Ta lay apo da ayre.

ISLES O GLETNESS

Words and music by John T. Barclay

Peerie waves dancin, sunsheen a' glansin,
Bringin ta brichtness da grey o da sea.
Saft air is muvvin, oily löms lavin
Smooth windin gaets fae da islets ta me.
Seabirds ir nestin, on da rocks restin,
An da horizon rins on mony miles.
Dan dey ir nearer, dan dey ir dearer,
Dan I tink lang fir a sicht o da isles.

patches on water

Whin A'm been takkin spells at da makkin,
A'll ta da door an A'll linn me a while.
Oot i da hömin A'll see dem loomin,
Greenkeppit rocks o my ain Gletness Isles.
Winter storms roond dem, laek fir ta droond dem,
Bit in its saeson da simmer sun smiles.
Dan dey ir rarer, dan dey ir fairer,
Dan I tink lang fir a sicht o da isles.

turns

rest

Mönlicht entizin as da mön risin,
Fills aa da vailley wi saft misty licht.
An da isles ride awa oot i da tideway,
Shörly nae idder place offers sic sicht.
Toh I go rovin fae hame at A'm lovin,
Bidin afar wi da idder exiles,
What ever da pairt be, here will my hert be,
Linkit for ever ta hame an da isles.

E

FETLAR LULLABY

Words and music by **Sinclair Shewan.**

Hush-a-baa mam's peerie flooer,
Sleep o sleep, come ta dee shön,
Mam sall watch dee ooer be ooer,
Till dy, boanie sleep is döne
   Till dy boanie sleep is döne
   Till dy boanie sleep is döne
   Mam sall watch dee ooer by ooer,
   Till dy boanie sleep is döne.

Bide! Da simmer days ir comin,
Dan we'll rin aboot da knowes,
See da bees aa fleein, hummin,
Peerie lambs an muckle yowes,
   Peerie lambs an muckle yowes,
   Peerie lambs and muckle yowes,
   See da bees aa fleein, hummin,
   Peerie lambs an muckle yowes.

Noo dan! Here comes Willie Winkie,
Baetin, baetin on his drum,
Playin on his plinkie, plinkie.
Rest an slumber shön'll come.
   Rest an slumber shön'll come,
   Rest an slumber shön'll come.
   Playin on his plinkie, plinkie,
   Rest an slumber shön'll come.

PROSE

A WRASTLE WI A HEN
From "LOWRIE" by Joseph Gray.

Sittin readin da paper ee nicht, I cam apon a noteece whaar dey hed dis paatent hens ta sell, ye ken yon eens wi da cörious names at lays aa da year roond. So Kirsie tocht hit wid be fine ta hae hens laek dat, an we planned ta buy een first fir a trial.

Whin I took da money an göd ta fetch da hen, wha did da owner turn oot ta be bit a freend o wir ain. Shö cam ta be a sister-in-laa til a second cöshin o me graandmidder, so yon wye bein sib, I got da best hen at shö hed, a "Wandot Pootra" shö caaed it, an, heth I tocht wi a big name laek yon at da eggs micht be brawly big tö. I aksed her fir a bag ta kerry da hen atil, bit shö said, "Man, tak her atween your haands, bit noteece at shö's aye lookin i your face, da eft end ootermist."

So I grips an kerries her ta da hoose yon sam wye, an gits Kirsie ta faetch me a kishie ta set her atil afore I got a cup o tae, an fan some wye ta stowe her, whaar shö widna töllie wi da aald eens. Bit da Loard bliss me, I wisna lippit me tae afore I tocht da hoose wis comin doon. Da cat wis geen up ta look at dis new incomer, whin shö raise wi a yall laek a steamer, an whin I got me head slooed roond, here wis Robbie Burns aff o da waa, staandin apo his head i da paet bass, an Nelson's ship da "Victory," followed him atil a tub o blots, naethin up bit da coarner wi "ENGLAND EXPECTS" i muckle letters. Trath, I wiss I hed a kent whit ta expect whin I brocht da haethin in.

Onywye, I made a dive fir her whin shö wis apo da tap o da clock, bit I micht as weel a tried ta grip da mirry dancers; shö jöst flachtered ta da bed wi Kirsie's hair net wuppit aboot her feet, an da bits o brooches at shö wis hed at da meetin stickin atil it. I köshed an kirred, cried "shug, shug" an "sig him," an ösed aa da hen wirds I could tink aboot, besides twartree foc'sle eens I hed nearly forgotten, bit hit wis aa da sam. Doon comes a bottle o St. Jacob's Oil apo da haet stove, an nearly scomfished wis. Kirsie tried ta grip her anunder da stove, bit da wings o da bröte wir gyaan laek a pair o bellows, blaain da söt an ess athin her face, till shö wis da picter o a Zulu, an whin Kirsie hed ta slip, takkin da tail pens wi her, me leddy got aff an laanded apo da tap o my aer o tae (at I wisna hed time ta preeve) skailin da lem ower da face o da eart, an dan wi a butter biscuit clatched apo every fit, settled apo da velvet collar o me Sunday cott.

Be dis time da hoose wis dat foo o fedders (an me

related

quarrel
tasted

peat-basket
soapy water

northern lights
wrapped

suffocated

drop
taste, scattering
stuck, [crockery

pechin laek a neesik), at I wis sookin dem in wi every
backdraa, stoppin noo an dan ta host up a haandfoo. I tocht
I hed her wance, atween da coarner o da dresser an a
haethin idol at Robbie sent frae Bombay, bit da vegabond
laid da idol in shalmillens an got aff agen. Her nixt laandfaa
wis i da bits o windoo coortins at Kirsie wis bocht at a sale.
Dey wir oarnamented wi trowie cairds, an afore I cood win
til her, wisna her claas wittered athin yon patterns an
sklented dem frae tap ta fit.

gasping *breath, cough* *small fragments* *ferns* *tangled*

Kirsie wis jöst burstin wi grief, an niver noteeced fill I
yalled "Lass, da trooker is won apo da raep richt abön dee
head," an as da raep wis swyin da venom couldna sit, so
whin Kirsie lookit up I be helpit if shö gotna da claas o her
richt athin da livin eye. Ta save Kirsie I made a bool, an
firyat aboot da tub o blots, platchin richt in ta da mid leg,
shappin up da aald "Victory" (sam as da French wida laekit
til a don at Trafalgar), an sendin a tidal wave o blots ower
da haet stove, so athin a meenit nedder hoose nor hen could
be seen fir steam. Efter da steuch aised, I got Kirsie up ta
da windoo, an cloored aa da butter an dirt (aff o da hen's
claas) oot o her een, an saa, fir a mercy, at da baal wisna
hurtit. Dan we hed a look fir wir hoose-brakker agen. Here
wis da fiend won apo da skelf whaar Kirsie keeps her
bakin things. Trath, tinks I, A'll hae her noo, an recks fir
me aald soo'waster, bringin him doon wi vengeance richt
apo da tap o her. Bit you'll no hinder me, whin I got me
een an whiskers cleared o krem o tarter an karvie seeds
(it wis rattlin aboot da hoose laek a hail shooer), ta fin
at I wis only strukken da place whaar da haethin hed
been, so, whin da clood o flooer settled, I gets a glimpse
o her reesslin among me papers i da bookpress, tryin ta
git a fittin on "Social Reform," an at da sam time rivin
da "Life o Gladstone" an da "Saints' Rest" jöst in ribbons.

hussy *indoor clothesline* *leap* *fume* *carroway* *struggling*

Bi dis time Kirsie wis taen wi a flachterin at her hert,
an efter shölin awa da brokken lem shö dippit her apo da
kyist lid fir a rest. While I was kyucherin aboot her an
döin me best ta revive her, da door bangs open an dere
wis twa deil's buckies o boys (nae doot attrackit wi da
melody inside) staandin lauchin an yallin "Lowrie, Lowrie,
pit saat apo her tail!" "Feth," says I, "yer tails ill be weel
saated if I git a hadd o you." I kent I wis nae beauty ta
look at wi karvie seeds stickin aa ower me sweaty face
laek a man wi da smapox. So I yanks me airm oot
anunder Kirsie's head an maks fir da door. Bit dey wir
aff laek speeders afore I could win ta dem, an as I booed
me doon ta fire a bungle at dem, oot comes da "Wandot
Pootra," screechin laek mad, an da hidmist I saa o her
wis maakin fir Rönas Hill. I jöst gae wan heavy sich,
an said, "Oh! da De'il follow dee!"

palpitation *pushing, sat down* *soothing*

THE NIGHT THAT MOUAT WAS LOST
Tom Henderson

Clearing out the old boat noust, among the rubble of sand and pebbles and ancient mussel shells, my snovel clinked against metal and I unearthed a bit of chain. Half a fathom of studded four-inch links — not a very exciting find — and I knocked the rust off it against a stone with no more than a mild curiosity as to its origin. It was too heavy for a herring boat or any other craft likely to make use of the beach of Spiggie. Tossing it over to where my old friend sat smoking on the grass, I said, "Dat wid mak a good starn fasti. I winder whaar it cam fae?"

He did not answer at once. Glancing over, I saw that he had the chain across his knee, and something in his face made me ask again, "Do you ken whaar yon cam fae?"

"I dönna ken whaar it cam fae," he answered, "bit I ken foo it cam to be lyin whaar du fan it. Dis wis da starn fast o Moad's boat. Du's heard o da nicht whin he wis lost? Ah, boy, boy! Dis bit o shain brings dat nicht afore me again da sam as it hed been yisterday . . . . lay by dee shivel an A'll tell dee . . . .

"Hit wis i da winter o '87. We got a on-lie o snaw aboot da beginnin o December. A weicht o snaw, bit fine wadder an everything frozen doon. Hit brocht ootside wark til a staandstill. Some o da men hereaboot wir wirkin at Boddam dat winter, biggin stables ta da doctor, an dey wir laid idle. John Moad o Scousburgh wis wan o dem.

"I mind him weel. He wis athin his late fifties dan, no overly lang, bit weel-made an weel-cassin, a fresh göd-lookin man wi a full fair baerd. He hed a faimily o lasses an twa boys. Da auldest een, Geordie, wis in America, bit Sinclair, da youngest boy, bed hame an göd ta da sea. He wis a year or twa aulder dan me, an a boy at we aa laekit. Dey said Moad wis a göd mason, an maybe dat wis true. Bit first an last he wis a seaman, a seaman o a kind du'll no fin noo an'll never fin again. Even i dat day o life, whin men socht der livin among da strings o da Rowst an a yoal skipper's first mistak wis his hinmost een, Moad wis a man ootstandin. Men at sood a kent said he wis da finest seaman sooth o Hallalee.

"Some held at he wis ower rackless. Hit wis true at he wis aye da last ta come whin da gale strack an da first aflott whin it wis by, an it wis said at sometime he widna come ava. I saw him mesel bringing his saxaern inta Voe efter da '81 gale at fower o'clock da followin efternön. Aa dat terrible nicht an mornin dey wir been tuinin up fae da leeward . . . . Bit he brocht her in wi aa body i göd shape an shö wisna started a ropeyarn. I dönna ken. I wis little mair dan a boy dan; bit lookin

rope or chain
holding boat
in a noust

carried himself
well

tacking to
windward

back i later life it's been plain ta me at Moad hed great
faith athin his ain skeel.   He didna ken what faer wis,
an I tink tö he laekit ta set himsel agains' da wild sea fir
da pure joy o winnin.

"Der wis plenty o fish apo da wast side dat winter o
'87, an wi da fine cauld wadder da boats wis aff every
day. Whin da Boddam wark stoppit, Tammie and Lowrie
Sinclair an Moad made up a crew.   Da Sinclair faimily
wis flit fae Brake o Bigton ta Scousburgh jöst short afore
an da Sinclair men wis brocht der boat wi dem.   Shö
wis a muckle truss o a boat, shorter dan a yoal bit a lok
deeper an a heavier craft aa ower.   Her sail, tö, wis nort
trimmed wi a far sharper peak dan da Ness swares'l at haes
hardly ony peak ava.   Among da raw o yoals apo da ayre
at Spiggie shö lookit a gös among swans an da Spiggie
men didna laek her.   Bit dat wis jöst da yoal-men's fröt.   *superstition*
Da Sinclair men's boat wis strong an able, an very
wadderly under sail.

"Da mornin o da nint o December, 1887, is veeve afore   *vivid*
me ee noo.   Da frost wis killed da wind trowe da nicht an
whin I raise he wisna a braeth.   I wis up shön, afore ony
daylicht, got a air o tae fae da lasses i da keetchen, an
set aff wi wir auld foolin-piece ta try for a djuck alang
da bruggs o da loch i da lichtenin.   A dark mornin wi da   *(literally) banks*
stillness du gits whin da grund is buried i snaw.   Da freezin
wis been keen an da snaw wis crumpin, bit da air wis   *crunching*
mild an I tocht he micht he gyauin ta mak for towe.   I
followed da loch ta Littlaness bit never a shot got I.   Da
noise o my feet apo da hard snaw gluffed everything afore
I wan near it, an da air ower da loch wis lood wi da
whistle o da peerie divers' wings.   Comin hame ower da   *Goldeneye and Tufted Duck*
Vaddil I heard men spaekin an kent dem bi der voices for
Moad an da Sinclair men gyauin ta da sea.

"Eftir wir brakfast an da mornin wark wis by we göd
ta Colsa wi hay ta da sheep — me faedir an me, wir
Tammie an da servant boy.   He wis a boanie mornin dan,
kind o askie wye, bit sunny tö, an da wind a coarn o a laar   *hazy, light breath of wind*
fae da sooth-wast at you could hardly fin apo your face.

"I aksed da aald man: 'Is he gyauin ta towe?'

" 'Naa,' he says, 'jöst aesin his haund fir a better grip.'

"Sax or seeven yoals wir awa fae da beach whin we
flottit, some o dem at da inshore codlin snecks, bit Moad   *inshore codling grounds. found by landmarks*
an twa idder crews wis taen da shance o da fine mornin
ta try twa ling methes dey caa da Nort an da Sooth ships.*   *deep water ling grounds similarly marked*
Da Sooth Ship is ten mile fae Spiggie.   Dey wid tink dat
a piece athin a yoal noo bit dey tocht little o it dan.   Da

---

*Nort and Sooth Ships: Those two famous Spiggie ling methes
are said to mark the spots where two Dutch warships foundered in
the storm which broke off the action between a fleet of Dutch
ships under Admiral Martin van Tromp and an English fleet com-
manded by Blake in 1652.   Shetland fishermen believed that ling
congregated about a sunken wreck.

sea wis slicht, a air o motion alang da laund bit naethin ta caa brack. Tinkin back efter, I could mind apo nae single thing at wid a gaazed you tink at evil wis sae near. Naethin ava, unless it wis somethin at A'm only seen wan idder time i my lang lifetime.   Aa da wye fae Spiggie ta Colsa da watter wis dat clear at du could see every ripple o saund apo da boddom, an shalls an waar-bleds eicht taddom doon.

"Da rest göd ashore at da Owsen Gaets an I bed ta keep da boat. Dey wir awa a while. Da boys wis seekin rabbits an da aald man didna hurry dem. Lyin by i da boat, I began ta notice at swall wis settin in. Hit cam aa at wance an hit cam fast. Sae at be da time me faedir cam abön da banks I cried til him ta get da boys an hurry or I wadna get dem in. Even dan I hed ta tak dem een at a time — du kens da wye wi a bad cast at Colsa. An aa dis athin maybe a oor. Hit made da aald man unaesy.

" 'I wiss da boats wis ashore,' he said, 'he's gyauin ta mak for a shange.'

"Bit sae wan we hame da wind wis still dat saft breath fae da sooth-wast.

"I cam oot efter da denner wis by an fan my faedir staundin at da gavel o da hoose. Da sky wis dimsy dan an da sun wis geen an dir wis a bit o black clood ower Waas. 'He's a shooer gyauin in ower da wast laund,' I said.

" 'Yon's no a shooer,' da auld man answered me, 'An he's no gyauin in ower da laund idder. He's tö-haulin!'"*

"Hit maun a taen langer or dat, bit hit seemed ta me efter at hit wis only a maitter o a peerie start afore dat clood wis risin, black as tar, an fillin da hale nor-wast. An dan da wind wis in 'im an freshenin wi every wapp. An anunder da black trott o 'im a white line at wis da sea liftin athin spöndrift. Der wis jöst wan tocht dan: da boats an da men at da sea. Every wye you lookit you saw folk stendin for da beach.

"I ran in fir my jacket an whin I wan furt again da wind wis a stoarm. A Rör'ick yoal wis crossin da saunds — dat wis Magnie Johnston o Clavil — an even in dere i da lee you could see at dey wir haein aa at dey could dö ta mak endin. Jöst as I left da hoose, oot benort Colsa I got a glisk o a sail. Whin shö liftit again I saw her clear — my een wis göd dan! — an kent her apo da instant be her sharp peakit sail for da Sinclairs' boat. Shö wis weel ta wadder o da Skult, a piece i da heicht still, an you wid a said shö wid a lyin in da sounds wi room ta spare. Bit i da twartree seconds afore da snaw

---

*Tö-haulin: A good word, still in reasonably common use, but quite difficult to render concisely in English. It means that the clouds are running from a direction other than that from which the wind is blowing, presaging a sudden and probably violent shift.

led or persuaded

fronds of seaweed

difficult conditions

gable, overcast

little while

(literally) throw

spray

rushing top speed
outside

glimpse

well off-shore

an da spöndrift hoidit dem I saw Moad keep her awa ta
run a sea. It did come i my mind at da sooth-gyauin tide
wis in, an if he hed muckle o dat kind o wark he micht
need aa his room. Dan a flann cam howlin doon an a
swidder o snaw took da boat fae me, an I set my head
til it an wrastled fir da beach.

squall

"Ta my dyin oor, I'll never firyat da sicht at met my
een whin I cam ower da brae here ahint wis. Atween
snaw an spöndrift da Soond wis blawin athin reek. Athin
nae langer time da sea wis gyauin i da girse. Der wis a
swarm o men aboot da beach. Some o da boats wis ashore,
an nearly i da laybrack a Rör'ick yoal wis comin in.
Muckle Eadie Arcus an his twa sons — swack, powerful men
aa tree — bit you could see be da sag o dem dey wir nearly
done. Dey haunled der boat weel, fir aa dat. Shö cam ridin
in apo da back o a muckle lay, an as shö touched we claggit
on till 'er an ran her up ithin een o da empty nousts. We
hed ta hadd her doon till dey got da fasts apon her.

surf
ably competent

"Dan someen cried, 'Goad, boys, here's Moad!'

"I turned me aboot, tinkin ta see da boat i da Peerie
Soond; for, du sees, fae whaar shö wis whin I left hame
I niver draemed bit what shö wid lie in benort Colsa. Bit
shö wisna i da Peerie Soond. Across da mooth o da Muckle
Soond, wi da flöd rinnin oot agains da wind, da string wis
gyauin athin froath fae Klukkistack ta Colsa. An oot by
dat again, weel ta lee o da Black Skerry, wis Moad. My
hert lepp up i my trott whin I saw foo muckle grund he
wis lost. Far short o wadderin Colsa, hit wis gyauin ta be
aa said if he made da Soond.

"Fir a start we tocht he wid. Da boat wis closs in an
comin laek a racehorse. Shö hed da string ta cut — an
he wis a faersome thing ta see! — bit da Arcus men wis
crossed nae time afore, and wi da speed Moad wis kerryin
twartree seconds wid tak him in ower da warst. Kennin foo
closs a thing it was gyauin ta be an what hang apo da
ootcome, we höld wir braeths.

"He wis closs — boy, he wis closs! Du wid a said he
wis athin da string. Dan he hed ta keep her aff for a sea.
He ran dat een — an anidder een — an a third een . . . tree
watters da tane ahint da tidder afore he got her head up—
an Göd be merciful ta wis aa, I kent dan he wis misforn.
Sae maun he a kent, John Moad, at needed nae man ta
tell him at da grund he wis lost he could niver mak göd.
Bit bein what he wis, he wid never own baet.

tide rip
cast away

"Boy, A'm tellin dee, hit wis a terrible thing, an a
stirrin an splendid thing tö, ta watch dat auld seadog fechtin
oot his hinmost battle. Da boat ran da tail o da third sea
an shö wis ower far ta leeward dan. Bit dey pressed her
wi da sail an Moad gae her da weicht o his haund as he
sneppit her up til her coorse. We could see foo shö flattened.
Pör lads, dey most a been owsin sair. Even dan for a

baling

moment I tocht he wid dö it, bit hit didna hae ta be. A
wadder lump* lifted an he böst rin it or foonder, an afore
da tail o dat sea wis spent da boat wis geen tö ahint da
brack apo Klukkistack. An fae Klukkistack ta Fitful du
kens deesel what it's laek: der no a wilder piece o banks
ithin Shetlan!

"Fir da time at a man wid draw his braeth hit
seemed ta me dere wis a stillness ower wis aa. We nidder
heard da tempest nor fan da stang o da snaw i wir faces.
Till someen said laich in till himsel at last:

" 'He's missed! Oh Christ, he's missed!'

"Sax o wis young eens set aff up trow Foraness ta
see what wis come o im. Da snaw wis lifted a coarn, sae
at whin we wir climbin ower da Spiggie hill-daek we
could see da Vaadil. Weemin wir comin buksin fae aa
wye. Du sees, dey wir still twa Spiggie boats missin
forby Moad an twa fae Rör'ick, an though da Arcus men
tocht dey wir run for Gerts Weeck, naebody kent. Johnnie
Shewan says ta me, 'Boy, did du open da böth door?'

" 'Na,' says I, finnin da key i my pooch.

" 'Geeng aboot again an dö it an git yon weemin in
oot o da snaw. Du can follow wis efter.'

"Bit whin I cam up trowe da hill da second time
he wis a moorin kaavi for aa, an shön I began ta tink
i hed mair shance o willin ower da banks-lip or finnin da
rest. So I gae it up an cam doon ta da böth. Man, he
wisna a very lichtsome place ta come. Yon auld grey
biggin is seen mony a little-wirt sicht bit never a mair
hert-rendin een dan dat nicht. Greetin weemin an men at
wid try ta comfort dem bit kentna what ta say. Moad's
dochter Marget wis dere an shö cried eence 'Men, der
saxaerns here. Will you no tak een o dem an bring my
faedir ashore?'

"We turned fae da lass shame-faced, an nane hed
da hert ta tell her at only a miracle o Goad could save her
faedir noo. An, puir lass, shö didna ken da warst. I' da
end dey got her an some o da idder weemin ta geeng up
ta da hooses o Spiggie.

"Da nicht began ta mirken. Wi da last hooms o
day da boys cam doon oot o Foraness. Dey wir seen da
boat. closs in i da neck o Klukkistack. Dey wir gotten
her head up an wir rowin trowe blöd-spring ta try an win
aroond da point. Dey wir never gotten da mast aff o 'er
an dat could shaw foo sair set dey wir. Da boys wis
watched till da nicht an da snaw took dem, bit dey
wirna gainin. Dey wir maybe a bit farder aff-shore,
bit none ta win'ward. Wan thing we couldna understaand.
Baith Johnnie Shewan an Tammie Robertson maintained at
da boat wis rowin aa tree pair o aers, an hit jöst wisna

*Wadder lump: Sea breaking to windward.

possible for tree men to row apo da tree tafts wi da mast staandin.

"An so da nicht cam doon. Da gale skreiched aboot da böth an da snaw wis a blind moor at wis laek ta tak your breath. I wis lichtit da auld böth lantern, an we sat aroond among da sails an gear. Der wis naethin we could dö an we spak little, bit nane o wis wid geeng hame . Dan a man cam stumblin up ta da licht o da door. He wis klimed white fae head ta fit, an hit wisna till he cam in an shök da snaw fae his whisker at we kent him for Alex. Robertson o da Hee. He wis been aff wi Moad's bridder, Sinclair Moad o Noss, an dem an da idder tree yoals wis aa made Gerts Weeck. Dey wir hed a wild run bit dey wir safe.

"Alex. said da fower yoals wis aa at da Sooth Ship. Moad wis at da Nort Ship. A yoal is a fine boat du kens, bit shö's aye at her best wi a lowse head. Shö's no sae göd close-hauled. At da first flan dey kent dey couldna mak Spiggie an dey böre up for Gert. Moad bein dat bit farder ta win'ward an wi a far mair wadderly boat, took his een apo da wind for Spiggie. We wir guessed dat muckle already bit Alex. telled wis ee sorrowful thing at we didna ken. Young Sinclair, Moad's son, wis been gyauin wi his uncle. Yon mornin Alex. cam doon seekin a shance aff, an da boy offered ta geeeng wi da faedir an lat Alex. geeng wi Sinclair. So dey wir fower men, an no tree, i da boat at da back o Foraness, an we saw dan foo dey wir rowin sax aers wi da mast up."

My old friend fell silent, fingering the rusty links on his knee. I ventured a question. "Did dey ken what wis da end o da boat?"

"Na," he replied, "only da Almichty kent dat. Shö wis i splinters i da North Geo o Noss i da mornin. Whidder shö swampit at sea, or whidder whin der strent göd dey cam doon apo da laund, nae man could tell."

He gathered up the bit of chain and flung it jangling under a nearby boat.

"Boy, o aa da folk at wis aboot da beach o Spiggie dat nicht, der hardly ony left. Da maist o dem are dead. What's left are scattered ta da fower corners o da eart. A'm wan o da few at's here an da last sheckle is ower da win'lass wi me tö. Hit's a auld man's foally ta rake up auld sorrowful things at are better foryat. Bit du aksed aboot da shain, an A'm telled dee. Never du pit im for a fast apo dy boat — an I wiss fae my hert du'd never fun him ta harass a auld man's memory!"

covered over

"slack rein"

NOTES ON AUTHORS

ANDERSON, Basil R. (1861-1888) Born Unst. Father was lost at haaf-fishing 1866; family moved to Leith 1878, where he did clerical work. "Broken Lights", a collection of poems and letters, published posthumously.

ANGUS, James Stout (1830-1923) Born Catfirth, Nesting. Served as ship's carpenter and later developed a joiner's and contractor's business in Lerwick. Published "Echoes from Klingrahool"—a verse collection, "A Glossary of Shetland Place-names" and "A Glossary of the Shetland Dialect".

BARCLAY, John T. Born 1905 in County Durham. Family moved to Sandwick, Shetland, in 1910. Has written several songs in Shetland dialect, including the well-known "Isles of Gletness".

BURGESS, J. J. Haldane (1862-1927) Born Lerwick. Educated at Anderson Institute, where he was also pupil teacher. Was headmaster of Bressay Public School for a short time. Graduated M.A. at Edinburgh University in 1889, although by this time blind, his eyesight having failed during studies. Works include: Prose—"Tang," "The Viking Path," "Treasure of Don Andreas"; Verse—"Rasmie's Büddie," "Young Rasmie's Kit".

GRAHAM, John J. (b. 1921) at Lerwick. Graduate of Edinburgh University. Teaches at Anderson Institute. Co-author of "A Grammar of the Shetland Dialect"; Joint Editor of "The New Shetlander".

GRAHAM, Laurence I. (b. 1924) at Stromfirth, Weisdale. Graduate of Edinburgh University. Teaches at Anderson Institute. Joint Editor of "The New Shetlander".

GRAY, Joseph (1869-1934) Born Lerwick. Author of "Lowrie" a book of humorous anecdotes in the dialect.

HENDERSON, Thomas (b. 1911) at Dunrossness. Curator of County Museum. Convener of County 1960-1963.

HUTCHISON, Laurence (dates unknown) Born Skerries. Educated at Mrs Tait's private school in Lerwick. Left Lerwick about 1894 and later became teacher of Elocution in Edinburgh where he became known as "The Mender of Broken Voices".

JAMIESON, Peter (b. 1898) in Lerwick. Founder of the "New Shetlander", which he edited from March, 1947 to April, 1956. Author of "The Viking Isles" and "Letters from Shetland". Has contributed articles on Shetland to various newspapers and magazines.

MILNE, Emily (b. 1904) at Gruting. Sister of John Peterson. Graduate of Aberdeen University. Married and lives in Northumberland. Has published book of verse, "Wi Lowin Fin".

NICOLSON, John (1876-1951) Born in Aithsting. Author and Folk-lorist. Published works include "Sprigs o' Aithsting Heather," "Tales of Thule," "Shetlan' Hame-Spun," "Folk Tales and Legends of Shetland," "The Prisoner of Papa Stour," "Shetland Incidents and Tales," "Arthur Anderson—A Biography," "Hentilagets" —a collection of verse.

NICOLSON, Laurence J. (1844-1901) Born Lerwick. Spent most of his life in Edinburgh. Published book of verse—"Songs of Thule".

OLLASON, T. P. (1865-1908) Born Lerwick, where he lived for the whole of his life. His prose and verse writings are contained in "Mareel" and "Spindrift".

PETERSON, George P. S. (b. 1933) in Papa Stour. Graduate of Aberdeen University. Teaches at Brae Public School. Writer of Shetland plays and frequent contributor to "The New Shetlander".

PETERSON, John (b. 1895) at Lerwick. Has published two volumes of verse—"Roads and Ditches"; "Streets and Starlight"; and "Shetland—A Photographer's Note-Book".

RENWICK, Jack (b. 1924) at Unst. Frequent contributor to "The New Shetlander". Published book of verse "Rainbow Bridge".

SHEWAN, Sinclair Pottinger (1864-1931) Born at South Ness, Lerwick. Subsequently lived on Noss, Bressay, where father was shepherd. Attended Anderson Institute. Farmed a year in America. Spent main part of life as head shepherd to Sir Arthur Nicolson, Fetlar.

SMITH, Elizabeth J. (b. 1894) at Old Manse, Bressay. Schoolteacher. Has taught in Sandwick, Foula, Sandness and Bigton.

SMITH, Stewart (b. 1918) in Yell. Well-known performer in local concerts and drama.

STEWART, George (1825-1911) Born Levenwick. Taught for short period in local school. Entered business in Dalkeith. Published "Shetland Fireside Tales" in 1877. Went to Canada in 1892 to join his sons who had emigrated there and died in Victoria, 1911.

SUTHERLAND, Mrs Stella (b. 1924) at Old Manse, Bressay. Daughter of Elizabeth J. Smith. Married and lives on croft in Bressay. Frequent contributor to "The New Shetlander".

TAIT, Robert W. (1891-1954) Born Sandwick. Taught in Yell and Sandwick, being Headmaster of latter school for large number of years. Authority on Shetland Folk Lore.

TAIT, William J. (b. 1918) at Sandwick. Son of R. W. Tait. Graduate of Edinburgh University. Taught in Anderson Institute and is at present in Secondary School in England. Has had poems published in "The New Shetlander" and other periodicals.

"VAGALAND" — pen-name of Thomas A. Robertson (b. 1909) in Sandsting. Graduate of Edinburgh University. Teaches in Lerwick Central School. Has published collection of verse—"Laeves fae Vagaland"; co-author of "A Grammar of the Shetland Dialect". Regular contributor to 'The New Shetlander".

MADE AND PRINTED
IN GREAT BRITAIN
BY T. & J. MANSON
LERWICK SHETLAND